# Le
# SEXY
# DÉFI
## de Lou Lafleur

Catalogage avant publication de Bibliothèque et Archives nationales du Québec
et Bibliothèque et Archives Canada

Lalonde, Sarah

    Le sexy défi de Lou Lafleur

    (Crypto)

    Pour les jeunes de 15 ans et plus.

    ISBN  978-2-89770-064-5

    I. Titre.  II. Collection : Crypto.

PS8623.A46S49 2017          jC843'.6          C2016-942158-9
PS9623.A46S49 2017

Dépôt légal – Bibliothèque et Archives nationales du Québec, 2017
Bibliothèque et Archives Canada, 2017

Direction éditoriale : Sylvie Roberge
Direction littéraire et artistique : Maxime P. Bélanger
Révision : Josée Latulippe
Illustration de la couverture : Patrick Seymour
Mise en pages : Mardigrafe

© Bayard Canada Livres inc. 2017

Financé par le gouvernement du Canada  Canadä

Nous reconnaissons l'appui financier du gouvernement du Canada.

 Conseil des Arts   Canada Council
du Canada       for the Arts

Nous remercions le Conseil des arts du Canada de l'aide accordée à notre programme
de publication.

Cet ouvrage a été publié avec le soutien de la SODEC. Gouvernement du Québec –
Programme de crédit d'impôt pour l'édition de livres – Gestion SODEC.

 Bayard Canada Livres
4475, rue Frontenac, Montréal (Québec) Canada  H2H 2S2
edition@bayardcanada.com
bayardlivres.ca

Imprimé au Canada

Offert en version numérique
»  978-2-89770-065-2
numérique   bayardlivres.ca

Sarah Lalonde

# Le SEXY DÉFI
## de Lou Lafleur

Bayard
CANADA

# JOUR 0

## Mardi

La journée avait commencé comme un charme.
Le genre de journée qui n'a rien d'extraordinaire,
mais qui te fait sentir bien à chaque petite-micro-
minute. Avec Amanda, j'étais allée dévorer de
mes grands yeux de biche les gars au *skatepark*.
Le soleil était vibrant. Il nous *flashait* ses rayons
à tout vent. Un gros splash de bonheur. La chaleur
avait même forcé les gars à enlever leur t-shirt.
Wow-wow-wow! Triple-wow! Amanda et moi, on
était aux anges. On ne pouvait pas demander mieux.
Une *gang* de gars qui nous montraient leurs fiers-pecs
comme des coqs en virevoltant à droite à gauche sur
leur planche. Un gros splash de bonheur au carré.

« Merci l'soleil ! » qu'on lui a gueulé en chœur. J'avais aussi trouvé un billet de 10 dollars dans une craque de trottoir. C'était suffisant pour exécuter ma fameuse danse de la joie, avec un déhanchement digne des meilleures *mammas* africaines pour célébrer les cadeaux de la vie. J'ai mis tellement d'entrain et d'énergie dans chacun de mes mouvements que je me suis fait klaxonner par un vieux dans sa Chevrolet *vintage* qui trouvait ça pas mal drôle d'être témoin de ce trop-plein de réjouissance. Ça m'a fait rire encore plus. Avec le 10 dollars, je n'ai fait ni une ni deux. J'ai couru jusque chez La Belle acheter les lunettes de soleil fluo que j'admirais dans la vitrine depuis des semaines. Quand je suis arrivée à la maison, mes parents, trop paresseux pour préparer le souper, avaient commandé de la pizza pour tout le monde. Végétarienne avec extra-bacon. Ma préférée ! Pour la troisième fois de la journée, un sourire énorme s'accrochait à mes fossettes. Une journée comme je les aimais et qui me faisait croire que ma vie poursuivait son ascension vers le paradis. Il me suffit de peu pour être comblée. Juste des petits bonheurs anodins saupoudrés de temps en temps à travers le temps.

Mais tout à coup, tout a chaviré…

Je tiens la télécommande de la télévision. À côté de moi, mon frère Mathieu s'obstine. Il la veut aussi et souhaite la guerre pour l'obtenir. Je la tiens dans mes mains comme si c'était ma vie. Mon unique et précieuse vie. Mon frère, Mathieu, dix-huit ans, ennemi numéro un et sans délicatesse pour cinq sous, me menace.

— M'a te péter dans face, si tu me donnes pas la manette.

Je réfléchis. Je sais qu'il en est capable. Mais je résiste. La manette est à moi. Pas touche. J'ai à peine le temps de finir ma pensée que Mathieu me saute dessus tel un raton-laveur-ninja-ceinture-noire et m'écrase la face dans les coussins. Il hurle comme un guerrier.

— Donne-la-moi !

La tête étouffée dans les coussins, je marmonne des « jamais » incompréhensibles et inaudibles, en tenant férocement l'objet tant convoité contre ma poitrine. Mathieu prend les grands moyens. Il me retourne. Approche ses fesses de mon nez. Ça y est. Cette fois, il va passer à l'acte. Une bombe nauséabonde va envahir mes narines. Longer mes parois nasales.

Se faufiler jusqu'à mon cerveau. Et brûler par milliers mes neurones. Oui. Les pets de mon frère sont puissants comme ça. Juste d'y penser, la nausée me prend. Une manette de télévision ne vaut pas la destruction de mon quotient intellectuel. Je crie « Arrêêêêêêêêêête ! » en tendant un bras vers le ciel, télécommande en main. En espérant fortement qu'il puisse arrêter son explosif à temps.

Mais au même moment, l'inespéré arrive. De la cuisine, ma mère, insistante, hurle :

— Mathieu ! Les POUBELLES ! Pis fais-moi pas répéter une autre fois !

Mon frère soupire longuement et sûrement. Tandis que moi, je me dis que je suis bénie des dieux-avec-un-karma-de-la-mort. Télécommande entre les mains, je lui souris de manière effrontée. Dans ses yeux, il a des lances bien aiguisées.

— Je vais revenir. Tu l'auras pas facile de même.

Je lui souris de plus belle. Pour l'instant, c'est moi qui ai gagné la bataille. Je m'installe, bien écrasée dans le fond du divan, et je zappe à la recherche de ce que je cherche : le téléjournal. L'émission la moins ado de toute la programmation. Mais moi, j'aime ça. Je jubile. Ça me fait rêver. Parce que quand j'avais huit ans, je me suis promis que plus tard je serais journaliste. Et je suis plutôt du genre à garder mes promesses. Sauf que je ne serai pas une journaliste nunuche qui chante la météo en riant comme une gourde. Non. Je vais être *the* journaliste. Celle qui se promène dans les champs de mines. Celle qui est au centre de toutes les révolutions, à poser des questions aux rebelles les plus cinglés. Celle qui voyage dans tous les pays pour montrer les injustices d'enfants exploités, de femmes sacrifiées, de vieux confinés dans des sous-sols. Celle qui n'a peur de rien et qui ose poser toutes les questions. Je vais être plus *hot* que *hot*. Plus *hot* que Céline Galipeau. Je vais connaître le monde et sa situation géopolitique sur le bout des doigts. Tout le monde va vouloir que je sois leur journaliste. *The* journaliste.

En attendant, je regarde le téléjournal comme un enfant écoute un dessin animé pour la première fois : avec enchantement et béatitude. Le présentateur termine de réciter une xième mauvaise nouvelle : « L'homme de quarante-cinq ans n'a toujours pas été retrouvé et est recherché activement par la police. C'est ce qui met fin aux nouvelles régionales. Après la pause, un reportage de Tania Tremblay : Quinze ans ou l'âge moyen des jeunes filles pour une première relation sexuelle. »

C'est exactement à ce moment-là. Exactement LÀ. Que tout chavire. Dans la cuisine, ma mère hurle :

— À table !

Je ne l'entends pas. À côté de moi, mon frère est revenu et tire sur la télécommande en gueulant :

— Lou, donne-la-moi !

Je ne l'entends pas. Il commence à s'inquiéter devant mon air bouche bée qui ne bouge pas d'un millimètre. Il claque des doigts à deux doigts de mon nez.

— Wouhouuuuuu ! Lou ! Es-tu là ?

Je ne l'entends pas. Non. Tout ce que j'entends et qui remue entre mes deux oreilles, pêle-mêle comme dans un tsunami géant, ce sont des bribes de la dernière phrase entendue : « quinze ans – âge moyen – jeune fille – première relation sexuelle – fille – quinze – sexuelle – âge moyen – relation – sexe – quinze ans – première fois – quinze ans – première relation ».

Si j'étais du genre à faire des pipis nerveux, comme Iza dans mon cours de maths, je ferais une énorme flaque qui imbiberait le tapis. Si j'étais asthmatique, je ferais une crise respiratoire qui me mènerait à mon lit de mort. Si j'étais aveugle, je retrouverais la vue.

Rien de tout cela ne m'arrive. Non. À la place, je suis stoïque comme une statue de sel figée dans le temps.

D'un coup, je réalise que j'ai quinze ans, presque seize, et que je suis encore… vierge. Horreur et damnation ! Bientôt, je ne serai plus dans la moyenne. J'entrerai même dans la catégorie des… attardées sexuelles.

Le charme de la journée parfaite vient de détaler comme un lièvre. En l'espace de dix secondes à peine, ma journée devient plus qu'imparfaite.

# JOUR 0
# LA SUITE

## Mardi

Avec son tact et sa finesse habituels, Mathieu me donne une petite gifle sur la joue droite, suivie d'une petite gifle sur la joue gauche. C'est assez pour me sortir de mon mutisme. « Qu... qu... qu... quoi ? » est la seule chose que j'arrive à prononcer. Mathieu, pour une des rares fois dans sa vie, est inquiet :

— Lou, ça va ? T'es blême comme un fantôme albinos.

Je me lève du divan. Je baragouine des « ça va, ça va » très peu convaincants et donne, sans combattre, la fameuse manette à Mathieu. L'enjeu de la manette n'a plus du tout d'importance. L'enjeu de ma virginité vient de lui voler la vedette. Encore sous le choc, je monte les escaliers en entendant Mathieu, au loin, me crier :

— Tu viens pas souper ?

Je grommelle un son aux allures étranges, qui pourrait se traduire comme suit : « Foutez-moi la sainte-foutue-paix ! », en me rendant, tête piteuse, à ma chambre. J'ouvre la porte. Je la ferme. Je m'évache sur mon lit dans la position du désespoir. Je saisis mon téléphone et j'appelle le 911 – Amanda. La seule et unique personne à qui je peux parler de ce dont j'ai été le témoin auditif. Amanda, ma meilleure-amie-pour-toujours-et-encore-plus, l'enthousiasme en personne, capable de réveiller un mort avec son rire strident et enjoué.

Ça sonne, ça sonne, ça sonne. Réponds, réponds, réponds. Ça répond.

— Lou, j'suis en pleine partie d'*ultimate* Frisbee. Je te rappelle tantôt.

— Noooooooon !

— Au désespoir ?

— Yep ! Tellement !

Amanda sacrifie quelques minutes de sa partie d'*ultimate* Frisbee pour écouter ma troublante découverte. C'est vraiment la *best* des *best*. Je lui répète ce que je viens d'entendre dans une phrase d'à peu près mille mots, sans ponctuation, sans reprendre mon souffle et sans aucune syntaxe. Avec, en bonus, un vomi verbal du gros lot d'émotions que je viens de gagner. Je finis mon interminable phrase en ajoutant : « T'imagines ? Je vais bientôt être une attardée sexuelle… Pis toi, ma vieille, tu l'es déjà ! » Parce qu'évidemment quand on est dans une galère on préfère y être à plusieurs. C'est plus rassurant de traverser l'océan houleux accompagné. Et Amanda, qui vient juste d'avoir seize ans le mois dernier, va trouver une solution à notre problème commun.

À l'autre bout, je n'entends qu'un long silence traversé par quelques coups de vent. Aucune réaction. À croire qu'Amanda vient de recevoir le Frisbee dans le front. Je réfléchis. Non. Elle doit être en train de patauger dans le bain du « bouche-bétisme », comme moi il n'y a pas si longtemps. Son cerveau doit filer à cent milles à l'heure pour absorber cette dure réalité.

— Amanda ? Amanda ? Ça va aller. On va s'en sortir.

Je me sens rassurée de la rassurer. Sauf qu'Amanda me répond du tac au tac, sur un ton un tantinet coupable :

— Je l'ai fait !

BANG ! BONG ! BING !

Tout ce qui me vient en tête à la fraction de seconde où Amanda termine sa très courte déclaration, c'est l'anecdote au *shack* de ma grand-mère en Mauricie. La fois où celle-ci pensait qu'un voleur était entré par effraction à minuit et demi. Elle s'était levée discrètement, avait posé la main sur le manche de la poêle en fonte, l'avait soulevée et avait asséné un puissant coup sur la tête du soi-disant voleur. Au moment où elle avait allumé la lumière, ma grand-mère avait reconnu, au sol, mon grand-père, rentré une journée plus tôt de son voyage d'affaires pour faire une surprise à sa douce. Heureusement, mon grand-père possédait une boîte crânienne en acier et une femme aux muscles feluettes. Deux bonnes raisons qui l'ont empêché de mourir, sans toutefois échapper à une commotion cérébrale digne de ce nom. La déclaration d'Amanda a sur moi le même effet que si on venait de m'assommer avec la poêle en fonte du *shack* de ma grand-mère. Pour la deuxième fois en l'espace de pas-assez-de-temps, je suis complètement sous le choc, à en échapper mon téléphone au sol.

Amanda, à l'autre bout, hurle des « Lou ! » à répétition, des « parle-moi, dis quelque chose ». Je ne l'entends plus, déstabilisée par son aveu qui résonne encore entre mes deux oreilles. Ma meilleure amie a fait l'amour et a décidé de ne pas me le dire. Si le *Guide de l'amitié* devait exister, la règle numéro un, celle qu'il faut toujours respecter, celle qui vous promet une amitié sans encombre et sans hécatombe, cette règle-là devrait être : « Se dire tout ; ne rien se cacher. » Une fois ma crise existentielle de la virginité passée, je devrai impérativement écrire ce célèbre guide. Surligner les passages importants au crayon rose fluo. Et le donner en lecture à Amanda, pour qu'elle comprenne qu'en amitié il y a des choses qu'on ne peut pas faire. Comme cacher des informations primordiales à sa meilleure amie. Non mais sérieusement ! Sinon, à quoi bon être amies ? Mais avant de me mettre à la rédaction de quoi que ce soit, je vais devoir passer à l'action rapido presto. Ma meilleure amie a fait l'amour. Elle est dans la moyenne. PAS moi. Quand j'y pense trop, tout ça devient un énorme non-sens. C'est comme si j'étais assise toute seule dans un radeau bancal à pagayer avec juste une rame. Ça n'avance pas vite. Ça ne va pas très loin. J'ai la vague impression d'être toute seule dans ma *gang*. Je n'aime pas le *feeling*. Mais alors là, pas du tout.

Je réfléchis. Impossible de rester là à ne rien faire ! Une correspondante de guerre ne reste pas au milieu d'un champ de bataille. Elle court, elle évite les balles, elle se cache, elle se relève et repart. Elle est en mouvement constant. C'est exactement ce que je dois faire. Me plonger à fond la caisse dans l'action.

Je me sors de ma position du désespoir. Me lève de mon lit. Consulte le calendrier bébés-chats-mignons au-dessus de mon bureau. À partir de la date d'aujourd'hui, je compte le nombre exact de jours qu'il reste avant mon anniversaire. L'anniversaire de mes seize ans. Quarante-cinq jours. Exactement quarante-cinq jours. Presque un mois et demi.

Déterminée, fière et droite, je me place devant mon miroir et me fixe dans le blanc des yeux en me disant à haute voix : « Presque un mois et demi avant d'avoir seize ans. Presque un mois et demi pour changer mon statut de vierge à plus-vierge. » Je m'en fais la promesse de moi à moi. Tout un défi à relever. Envoye, Lou Lafleur, déguédine !

# JOUR 1

## Mercredi

Cachée entre nos deux portes de cases en compagnie d'Amanda, je veux tout savoir sur sa première fois, qui saura sûrement inspirer la mienne. Mais pour une des rares fois dans sa vie, Amanda se veut discrète. Très discrète par rapport à ce sujet. J'insiste. Je veux TOUT savoir. Elle insiste pour que je n'insiste pas. Je trouve ça louche. Les *best* des *best*, ce n'est pas censé tout se dire tout le temps ?

— Pas tout, pas tout le temps, non.

Amanda est claire. Elle trouve qu'il y a des limites à dire tout, surtout quand on parle de son intimité-plus-qu'intime. Voyant qu'elle se braque et se boque, j'arrête. Mais je n'opterai pas pour une stratégie du silence similaire quant à mon intimité-à-moi. Loin de là. Dans les prochains jours, j'ai bien l'intention de tout partager avec Amanda. En commençant par mon plan secret, que je lui confie avec surexcitation.

Devenir l'agente 007 de la sexualité. Démystifier tous ses mystères. Et me trouver un gars avec qui dire « bye-bye virginité ». Une première mission « journalistique » dont je serai l'héroïne. Rien de moins. Amanda, un peu abasourdie, me regarde d'un œil croche, comme si je venais de la frapper sur la tête avec une poêle en fonte. Décidément, cet air est à la mode ces derniers temps, voire ces dernières heures. Elle me lance avec emportement :

— Lou, t'es coincée !

En plus d'être ma meilleure amie, Amanda est aussi la franchise incarnée. Incapable de tourner sa langue sept fois dans sa bouche, elle préfère manquer de tact plutôt que de se retenir.

— Lou, t'es vraiment top-coincée !

Et tout dire sept fois plutôt qu'une pour que son interlocuteur capte bien le message. Je claque la porte de ma case pour donner plus de puissance à mon « C'est pas vrai ! » C'est une Amanda totalement non convaincue qui me regarde.

— T'es tellement coincée !

— Ça va. Pas besoin de le dire sept fois.

— La preuve ? T'es pas capable de dire « pénis » sans rire.

Amanda est en train de m'avouer très peu subtilement qu'elle pense que je n'arriverai jamais à relever mon défi avec brio. Je n'ai qu'une irrésistible envie : lui prouver qu'elle a tort. Je réplique avec un air ultra-sérieux :

— Pé… pé… pé…

En quelques secondes à peine, un rire malaisé éclate de ma bouche avant que j'aie eu le temps de prononcer « pénis ». Merde-de-merde. Amanda a peut-être un petit-peu-beaucoup raison, finalement. Elle enchaîne, fièrement :

— Comment veux-tu réussir ton défi alors que juste dire « pénis » ou « vulve » est pour toi une mission impossible ? Pis que là, il va falloir que t'en touches un.

Aaarrrggghhh ! Comme je déteste quand la vérité me rentre dedans !

Mais pour ma défense, j'ose croire que ce trait de personnalité n'est pas entièrement ma faute. C'est aussi parce que j'ai été élevée par le roi et la reine des *straights*. Je me rappelle encore quand mon frère avait huit ans et moi, six, papa disait à Mathieu : « On ne montre pas son petit tuyau aux gens. » Comme si un pé… un pé… un pé… enfin ça, était un équipement de plomberie et rien d'autre. Et maman me disait : « Mademoiselle Lafleur va bien nettoyer sa petite fleur. » Comme si une vul… une vul… une vul… enfin ça, était une décoration de plate-bande. J'imagine avec une légère grimace une plate-bande remplie de vul… vul… vul… enfin ça. Ça serait trop bizarre. On m'a lavé le cerveau à mon insu et contre ma volonté dès le plus jeune âge. Résultat : je suis devenue encore plus prude qu'une nonne née dans un couvent. Misère.

Amanda prend des airs de chevaliers Jedi.

— L'heure est venue de combattre les forces du *straight* ou de… mourir, mon enfant ! Mouhahahaha !

La cloche sonne. Je me dirige vers le cours d'histoire. Amanda me propose un défi plus réaliste pour le moment : jouer au célèbre *pénisgame*. Ou plutôt, dans mon cas, la *pénisgame-thérapie*. Tout juste avant de passer la porte, elle m'énumère le peu de règlements de ce jeu en me lançant le défi d'y jouer… maintenant. D'un pas déterminé, j'entre en jurant-crachant-et-serrant la main d'Amanda pour accepter le défi. Je vais montrer à l'univers entier que je ne suis pas une chochotte et encore moins la princesse des *straights*, grande héritière de mes parents. D'eux, je suis prête à hériter de la tablette numérique, de la vieille Mazda et de tout l'argent dans leur compte, mais je refuse qu'ils me lèguent quoi que ce soit d'autre.

Assise au fond de la classe, j'entends à peine notre prof d'histoire déblatérer son récit sur le thème des Croisades. J'ai moi-même une guerre à mener contre le mot « pénis ». Concentrée, je commence doucement, en murmurant des petits « pé… pé… pé… » à peine perceptibles et en me retenant du mieux que je peux pour ne pas rire entre chacun. Lentement. Comme l'enfant qui apprend à marcher. Un pas à la fois. Un « pé » à la fois. Un genre de rythme de *beatbox* assez intéressant résonne. Je suis peut-être en train de créer le prochain *hit* musical de l'été. Amanda me lance, de temps à autre, des regards encourageants. Je suis prête à passer à l'étape suivante. J'articule d'un trait, mais sans son, le mot maudit. Amanda, qui lit sur mes lèvres, est épatée. Je répète sans relâche cette étape une centaine de fois. De plus en plus confiante, j'ai de moins en moins un rire malaisé. Pleine de courage devant cet exercice hors du commun, je suis fin prête à passer à l'acte. À entrer sans hésiter dans le *pénisgame*. Une rigole de sueur coule sur mon front. Preuve que cette épreuve n'est pas de la petite bière pour la princesse des *straights* que je suis. Pour reprendre le contrôle, je prends une grande, une énorme respiration. Au bout de celle-ci et sans rien rationaliser, je hurle à tue-tête un sonore et gargantuesque : « PÉNIIIIIIIIS ! », interrompant d'un coup et abruptement l'exposé de mon prof d'histoire.

Silence total dans la classe. Tous. Je dis bien tous les élèves, ahuris, se tournent vers moi et m'observent avec un air d'incompréhension et d'amusement. Amanda, à côté, est pliée en deux de rire. J'ai l'impression qu'elle n'arrivera jamais à s'en remettre. Et mon prof d'histoire me regarde... bouche bée. Comme si on venait de le foudroyer d'une poêle en fonte. Décidément, c'est devenu un don. Il change rapidement d'air et m'envoie un regard dont le message est clair : « Sérieusement ? » Comme dans : « Sérieusement, tu es immature à ce point ? Sérieusement, tu veux jouer à ça ? Sérieusement, tu te trouves drôle de déranger mon palpitant cours sur les Croisades avec des insanités ? » Dans ses yeux, j'arrive à lire tout ça. Le non verbal, c'est fort : ne jamais le sous-estimer. Il me fait signe de gentiment prendre la porte. J'en conclus qu'il veut que j'aille voir le directeur et qu'il a le profond désir de ne plus me voir dans sa classe. Je le parasite avec mes pénis-vocalises. Je me lève sous le rire étouffé d'Amanda et sous les applaudissements de mes camarades de classe, qui admirent soit mon courage, soit ma stupidité. Le moment est mal choisi pour leur demander.

En marchant en direction de la porte, je me sens, tout à coup, vraiment moins *straight*. Un peu plus rebelle. Légèrement plus légère. Un grand sentiment de fierté me parcourt. Je laisse ma pudeur en arrière. Un pas de moins me sépare de mon objectif. Un pas à la fois. Lentement.

# JOUR 1
# LA SUITE

## Mercredi

Assise dans le bureau du directeur, je réfléchis.
Celui-ci m'observe du coin de l'œil. Il attend que
je lui rende le paragraphe écrit répondant à la
profonde question : « Pourquoi avoir fait ça ? »
Je poursuis ma réflexion en refusant de céder à la
pression de son regard impatient. Je me questionne
sur la possibilité de lui écrire une longue dissertation
sur mon combat contre les forces de la *straightitude*.
Il n'y comprendrait rien.

En réfléchissant à quelque chose de plus formel
à lui déblatérer, mon esprit s'égare dans un souvenir

pas si lointain. Un souvenir d'il y a quelques mois à peine. Quand notre professeure de biologie avait présenté, d'un ton peu enjoué, l'anatomie féminine à l'aide d'un dessin géant, qui ressemblait davantage, à première vue, à un étrange mammifère marin. À l'aide d'un bâton, elle pointait les parties en les énumérant machinalement, comme si elle lisait une vulgaire liste d'épicerie : « Grandes lèvres, petites lèvres, utérus… » Son timbre de voix nous laissait clairement savoir que ce n'était pas sa portion de cours préférée : « … ovaire, trompe de Fallope, hymen… » Je me rappelle qu'au mot « hymen » un énorme flash-back avait surgi dans mon cerveau pour me ramener en arrière. Loin en arrière.

Flash-back dans un flash-back : du jamais-vu encore.

C'était sûrement à Noël ou à Pâques, parce qu'autour de la table il y avait une marée de monde. Oncles, tantes, cousins, cousines, frère, mère, père et autres membres quelconques de la famille Lafleur et cie. La joie se lisait sur les visages, tout comme les taches de ketchup sur les joues des plus jeunes. Les plats débordants de nourriture passaient de main en main. Ça placotait comme des poules dans un poulailler un samedi matin. Entre deux bouchées,

j'avais soudainement crié, bien fort et bien fière :
« Moi, quand je vais être grande, je veux visiter
l'hymen ! » Un nuage de mutisme avait envahi la
pièce. Les plats avaient arrêté de circuler. Tout le
monde avait figé. Ma grand-mère, sous le choc de
la déclaration, avait échappé le plat de patates pilées
bien chaudes qu'elle tenait, brisant du même coup
son pyrex turquoise, reçu en cadeau de mariage.
Offusquée par mes dires, et les mains maintenant
vides, elle en avait profité pour faire un signe de croix
salvateur. Innocente et naïve, je souriais à pleines
dents, ne remarquant rien du tumulte provoqué par
mes propos et savourant ma joie de dire à tout le
monde que, plus tard, je serais une grande exploratrice de la planète Terre. J'avais cinq ans. J'avais
reçu mon premier atlas en cadeau et avais dévoré les
pages avec autant de gourmandise que je dégustais
ce repas festif.

Dix ans plus tard, dans mon cours de biologie, cette
étrange histoire m'était revenue en mémoire exactement au moment où ma professeure de biologie avait
prononcé le mot « hymen ». Quel incroyable lapsus
j'avais fait à l'époque !

Pendant que le directeur fait un appel, j'en profite
discrètement pour *wikipédier* sur mon téléphone

plus-intelligent-que-moi les deux termes presque jumeaux : hymen et Yémen. H-Y-M-E-N : membrane qui obstrue plus ou moins l'entrée du vagin chez une jeune fille vierge. Y-É-M-E-N : pays arabe situé à la pointe sud-ouest de la péninsule d'Arabie et dont la capitale est Sanaa. Pas si jumeaux que ça, finalement. Deux choses pas pareilles du tout. Le voyage pour visiter l'hymen doit être pas mal plus court que pour aller au Yémen. En poursuivant ma lecture, une information primordiale me saute aux yeux. Information à laquelle j'avais porté peu d'attention il y a quelques mois : une jeune fille ne possède qu'un hymen. Alors que le Yémen, lui, il est là pour toujours.

Assise dans le bureau du directeur, cette anecdote d'enfance me revient et me convainc que je n'ai pas toujours été si *straight*. Je criais tout de même « hymen » à l'âge de cinq ans. Je suis plutôt certaine que ça ne fait pas partie du développement normal de l'enfance. Un an : apprendre à marcher. Deux ans : apprendre à parler. Trois ans : apprendre à être propre. Quatre ans : apprendre le vélo. Cinq ans : apprendre à dire « hymen ». Hummm… Sûrement loin d'être le cas pour tous les enfants de cet âge. Je me demande si ce n'est pas à partir de ce moment-là que mes parents ont commencé leur régime de la pudeur. Trop apeurés que je devienne une dévergondée à l'âge de six ans. Honte sur tous nos ancêtres.

Mais là, assise devant ma feuille blanche, je ne sais toujours pas comment expliquer à monsieur le Directeur ce qui vient de se passer. Et je n'ai nullement envie de lui divulguer les tenants et les aboutissants de mon défi Lou Lafleur. J'ai la forte intuition qu'il me mettrait des bâtons dans les roues. Le moins de personnes au courant, le mieux je me porterai. Divulguons le moins d'informations possible, tout en paraissant le plus honnête possible.

Je saisis mon crayon pour commencer mes excuses écrites :

> *Pourquoi j'ai crié « pénis » dans mon cours d'his-*
> *toire? Et bien, j'ai crié « pénis » parce que je suis*
> *jeune et conne. Parce qu'on m'avait mise au*
> *défi de le faire. Et comme je suis jeune et conne,*
> *j'accepte tous les défis qu'on me propose. Surtout*
> *les défis immatures qui nous font crier « pénis »*
> *à tue-tête. Promis. Juré. Je ne recommencerai plus.*
> *Le pénisgame n'est pas si amusant de toute façon*
> *et nous oblige à rendre visite au directeur, ce qui est*
> *encore moins amusant. Mille excuses.*

Je lui tends ma feuille. Il la lit. Roule des yeux. Me dit : « C'est bon pour cette fois. Mais ne le refaites plus. » Il ajoute, plus détendu, mais en gardant son air sérieux de directeur : « Et arrêtez d'être jeune et conne. Ça ne vous va pas si bien. » Je lui fais un sourire poli avant de quitter son bureau.

Je sors, trop satisfaite de comment-je-m'en-suis-sortie-comme-une-pro. Dans le corridor, Amanda m'attend avec une médaille en origami gossée dans du papier recyclé et ornée, en majuscules, du titre : « Princesse des décoincés # 1 ». Qu'elle ait eu le temps de faire ça est un bon indicateur du degré de platitude du cours d'histoire et que je n'ai rien manqué.

— Je savais que tu y arriverais, me lance-t-elle, toute fière.

— Tu me niaises ! T'étais certaine que j'allais échouer ! Je l'ai vu dans tes yeux.

— Bon. OK. J'étais pas sûre au début. Mais à la fin, tu t'es surpassée et tu m'as épatée. C'est comme pour le *ultimate* Frisbee. Tant que c'est pas fini, c'est pas fini.

— Et comme je suis épatante, plus rien ne m'empêche de m'attaquer à un défi plus osé.

Je raconte à Amanda le constat soudain qui vient de me frapper et qui est relié directement à mon prochain défi.

— J'ai juste un hymen !

Amanda ne veut même pas savoir comment j'ai pu me rendre jusque-là dans ma tête tout en étant dans le bureau du directeur.

— Comme toutes les filles, ouais. T'es pas plus spéciale qu'une autre, ajoute-t-elle pour me rassurer.

En disant cette information tout haut, j'y vois tout à coup plus clair. Un hymen. Un seul hymen. Un seul hymen intact. Pis là, tu fais l'amour et... plus d'hymen du tout. Il va falloir que je fasse comme mon frère quand il joue à ses jeux vidéo de bouette et qu'il lui reste juste une vie. Il est stressé. Il fait attention à chacun de ses mouvements. Il est stratégique. Il est focus. Ultra-focus. Pour une fois, il va falloir que je prenne exemple sur mon frère. Que je fasse attention à chacun de mes mouvements. Que je sois stratégique. Que je sois focus au coton. Parce que... ben... j'ai juste un hymen. UN SEUL hymen.

— C'est pas vrai que j'vais faire visiter MON SEUL ET UNIQUE hymen à n'importe qui !

Amanda est crampée de rire pour mille en m'imaginant penser à mon hymen dans le bureau du directeur. Moi, je suis très sérieuse. Un *once-in-a-lifetime*-visiteur-d'hymen, ça se choisit avec attention et stratégie.

# JOUR 2

## Jeudi

Assise dans les gradins du gymnase, j'observe les gars se faire des passes rapides et multiplier les lancers au panier. Mes pauses dîner sont tellement plus agréables les jours de basketball masculin ! Et aujourd'hui, j'ai deux bonnes raisons de me lécher doublement les babines : les garçons-impressionnants-qui-m'impressionnent et mon poulet marocain aux olives vertes. En dégustant la viande autour d'un pilon de volatile, j'analyse lequel de ces spécimens aux cuisses-d'acier-que-je-grugerais-volontiers ferait un bon candidat. Ils ont tous un délicieux potentiel. Milo pour son sourire ravageur. Guillaume pour ses grands yeux bleus. Théo pour la courbe exquise de ses biceps. Et ainsi de suite. Chacun de ces joueurs possède de nombreux avantages physiques. Tous différents les uns des autres. Un buffet à volonté de savoureuse et sportive testostérone. J'ai l'appétit dans le tapis.

En même temps, je vise haut. Les joueurs de basket de mon école sont les vedettes de la place. Ils sont totalement inaccessibles et marchent presque dans les corridors avec des gardes du corps. Pour les approcher, aussi bien avoir un rendez-vous à l'avance ou être leur cousine. Sinon, mission impossible. Peu importe, une fille a le droit de rêver. Sans rêve, pas d'espoir. Sans espoir, pas de vie. Je m'imagine, l'espace d'un moment, au bras du plus-beau-du-plus-grand-du-plus-meilleur joueur de basket de mon école. Avec son odeur de poutine, Amanda me sort de mes rêveries, en me disant, un grain de fromage « scouic-scouic » entre les dents, la phrase à laquelle je venais juste de penser :

— Tu vises haut !

— Rien n'est impossible pour Lou Lafleur.

— Pis euh… y a pas juste la beauté physique qui compte, hein ? Il y a aussi la beauté intérieure.

Amanda me lance la phrase cliché comme si je ne la connaissais pas. Oui-oui, je sais. Mais je sais aussi que le physique compte pour beaucoup. Et je ne vois pas pourquoi ces jeunes basketteurs ne pourraient pas être beaux et intelligents à la fois. En fait, je suis pas mal sûre qu'ils sont beaux ET intelligents. L'un n'empêche pas l'autre. Quoique même s'ils n'étaient pas intelligents, je les trouverais beaux pareil. Et je voudrais les *frencher* pareil. Nommez-moi miss Superficialité, je m'en fous. Même s'ils étaient épais, j'embrasserais sans relâche chacun d'entre eux. Deux fois plutôt qu'une. L'idée de leur sacrifier mon hymen pourrait aussi être une possibilité. Mon seul et précieux hymen. C'est dire tout l'effet qu'ils me font.

Amanda est déjà ailleurs et me propose un portrait plus réaliste de la situation. Elle sort son iPod et y fait défiler un diaporama de photos. Mon amie prend mon défi très au sérieux elle aussi. Elle a récolté des photos de gars faits sur mesure pour moi. Des garçons parfaits pour une classique séance d'échange charnel. De quoi me fermer le clapet pour me concentrer sur les vraies affaires.

Candidat numéro un : le livreur de journaux. Je l'observe.

— Trop petit.

Et passe au suivant. Candidat numéro deux : le gars qui prend l'autobus à mon arrêt. Je l'observe.

— Trop jeune.

— Ben là… il a quinze ans. Comme toi.

— C'est ça. Trop jeune.

— Pis je suis certaine qu'il l'a déjà fait. Il serait habile.

Je lui lance un sourire taquin.

— T'es certaine parce qu'il l'a déjà fait avec toi ?

Amanda lève les yeux au ciel et passe au suivant. Candidat numéro trois : le meilleur ami de mon frère. Je ne daigne pas le regarder.

— Aaaaahhhhh ! Troooooop con !

Et passe au suivant. Candidat numéro quatre : la brigadière.

— LA brigadière ?

— Ben… pourquoi pas ? Est belle ! Où est ton ouverture d'esprit ?

— Elle a, genre, cinquante ans ?

— Où est ton ouverture d'esprit ?

Amanda n'est pas capable de répéter la dernière phrase tellement elle est pliée en deux de rire. Cette fois-ci, c'est moi qui lève les yeux au ciel en passant au suivant. Les propositions d'Amanda sont pour le moins diversifiées. Difficile de dire le contraire.

Candidat numéro cinq : Dylan O'Brien. Je l'observe. Je bave. Je l'observe encore. Je bave plus.

— Mieux. Beaucoup mieux.

— Trop inaccessible, réplique Amanda, trop réaliste, avant de passer au suivant, à mon grand regret.

Candidat numéro six : le commis du dépanneur. Je l'observe.

— Trop bavard.

Amanda commence à être découragée. Et passe au suivant. Candidat numéro sept : mon voisin.

— Justin ?

— Il est *cute* !

— Si ça marche pas, j'oserai plus jamais sortir de chez nous. Oublie ça.

J'essaie de passer au suivant, mais Amanda, découragée, ferme l'écran de son iPod.

— Trop exigeante !

— Eille !

— Trop exigeante ! Si tu continues de même, tu vas mourir vierge !

— Ei-lle !

Mon système d'argumentation en « eille » ne convainc pas Amanda qu'elle a tort dans sa plus récente affirmation. Et comme je ne trouve rien de mieux à dire pour la contredire, elle a peut-être, encore une fois, raison. C'est énervant de se tenir avec du monde plus intelligent que soi. J'imagine que ce n'est pas pour rien et que c'est pour mon bien.

Je réalise alors que c'est loin d'être évident de trouver le candidat idéal. Ça va être plus difficile que je pensais. Je m'autodécourage à mon tour. Amanda me vole mes ossements de poulet, qu'elle étale sur le banc d'en face. Concentrée, elle les observe en faisant d'étranges mouvements de mains autour.

— Je vois… Je vois… Je vois…

J'esquisse un sourire. Je sais parfaitement ce qu'Amanda essaie de faire.

— Tes os de poulet disent qu'il y aura bientôt des dizaines de prétendants à tes pieds. Je vois… un homme aux cheveux ébène et au regard profond… et aux *pecs* impeccables.

Je m'esclaffe. Mon amie est presque crédible en diseuse de bonne aventure. Me remonter le moral en lisant mon avenir dans des ossements de poulet : il n'y a qu'Amanda pour faire ça.

Une idée germe en moi : faire une liste. La liste de ce que je cherche et de ce que je veux. Parce que le critère être-un-lanceur-inné-de-ballon n'est peut-être pas, à bien y penser, suffisant. À partir du moment où je vais savoir ce que je veux, ce sera tellement plus facile de le trouver. Amanda est enchantée par cette idée. Elle aurait aimé y penser avant. Il faut croire que l'intelligence est une maladie contagieuse. Et qu'Amanda m'a contaminée. Grand bien m'en fasse. Là-dessus, Élisa et Olive, les compléments à notre *gang* de filles, viennent nous rejoindre avec un trésor de jujubes colorés achetés au dépanneur du coin.

— On a failli jamais revenir, nous lance Olive. Le gars du dep nous a raconté sa vie en long et en large. Il est trop *sketch*.

— Trop bavard, hein ? dis-je en faisant un clin d'œil à Amanda.

Élisa et Olive opinent de manière synchronisée. Sur ce coup, j'avais raison. Le candidat numéro six m'aurait saoulé comme un moulin à paroles.

Je fais subtilement signe à Amanda de passer à un autre sujet. Elle comprend illico et commence à lire l'avenir d'Élisa dans ses jujubes. Pendant ce temps, mon petit hamster intérieur tourne vite. J'ordonne déjà ma liste du parfait candidat en ordre de priorité, en écoutant à peine le futur improbable d'Élisa.

# JOUR 3

## Vendredi

Je me réveille maganée comme si j'avais passé la
nuit à écouter une partie de hockey sans fin avec mon
frère. Une partie avec neuf prolongations comme
celle, épique, entre les Maroons de Montréal et les
Red Wings de Détroit le 24 mars 1936. Je le sais
parce que notre grand-père radote souvent cette
fameuse nuit à ne pas dormir pour écouter à la radio
un match infini. On l'envie. On aimerait ça juste
une fois dans nos vies être témoins d'une partie
aussi longue. Ça doit être mémorable. Ce matin,
je me sens comme si ce moment historique m'était
arrivé. C'est juste que je n'ai pas écouté de match.
Mais je n'ai pas dormi non plus. Face au miroir,

je réalise que je ne possède malheureusement pas de cernes à l'épreuve du pas-de-sommeil. Ceux-ci me descendent jusqu'en bas des genoux.

Toute la nuit, j'ai ressassé ma liste du parfait candidat. Élimination de critères, ajout d'autres, classement par priorités, puis déclassement selon d'autres priorités. Avant d'arriver à quelque chose de final. Les yeux dans la graisse de bines, je petit-déjeune au ralenti, écrivant sur une feuille ma fameuse liste pour être certaine de ne pas l'oublier. J'ai envie de dormir la nuit prochaine. Pas question de me retaper une autre nuit sans rêver.

1 – Doit avoir le sens de l'humour.

2 – Doit avoir un côté aventurier.

3 – Doit embrasser comme un dieu.

4 – Doit être rassurant.

5 – Doit être romantique.

6 – Mais pas trop non plus.

7 – Doit avoir une exquise courbe des biceps.

8 – Doit avoir un regard profond.

9 – Doit pouvoir lancer un ballon dans un panier avec une facilité déconcertante.

Ingestion de rôties et rédaction de liste se terminent en même temps, sourire triomphant au visage. Une chose de réglée. Ne reste plus qu'à passer à l'étape suivante : trouver le chanceux qui entre dans chacune des cases.

*

Toute la journée, j'erre, comme une zombie, d'un cours à l'autre. Et ce malgré le *blush* emprunté à Élisa pour me redonner une allure presque normale et naturelle. Mes chances de me souvenir des notions apprises aujourd'hui sont nulles. Je suis la personne la plus dysfonctionnelle de la Terre. Je ne pense qu'à retrouver mon doux et moelleux lit. Je rêve éveillée d'y être déjà. Et pour une fois, je rêve d'y être seule. Sans Milo, sans Guillaume, sans Théo et sans les gars sans nom du *skatepark*.

À la toute fin de la journée, je croise enfin Amanda. Le jour six, c'est notre journée pas-de-cours-ensemble. Dans le fond de l'autobus, je suis contente d'exposer ma divine liste à mon amie avant d'aller retrouver mon lit-aux-merveilles. Après sa rapide lecture, trois mots sortent de manière instinctive de sa bouche : banal, commun, pas très original.

Je suis sous le choc devant cette affirmation.

— Pardon ?

— Banal, commun, pas très original.

— Oui. J'avais bien entendu ! Mais pourquoi tu dis ça ?

Amanda sort de son sac à dos une revue-tout-ce-qu'il-y-a-de-filles. L'ouvre à la page 16. Me la tend. Me montre le gros titre : « Quatre choses que toutes les femmes trouvent irrésistibles chez un homme ». Elle me pointe les quatre sous-titres : *Confiance — Humour — Galanterie — Aventure*. Mes critères, de toute évidence, ressemblent à ceux de toutes les femmes.

— Tu rentres dans la moyenne.

— Ça tombe bien ! C'est mon but !

Mais plus je relis les sous-titres et l'article, plus j'ai l'impression, en effet, de ne pas sortir du lot. Je veux ce que toutes les femmes veulent. Bravo pour l'extravagance ! Euh… non.

J'aurais pu — je dis bien *j'aurais pu* — pondre la liste suivante pour me distinguer davantage :

1 — Doit avoir un *piercing* au teton.

2 — Doit pouvoir texter « je t'aime » en 84 langues différentes (dont 3 langues mortes).

3 — Doit être capable de réciter l'alphabet à l'envers en dix secondes.

4 — Doit être un pro du curling.

5 — Doit détester les jeux vidéo.

6 — Doit être manchot.

7 – Doit adorer mettre son doigt mouillé dans une oreille.

8 – Doit aimer marcher nu-pieds partout.

9 – Doit cuisiner les meilleurs hot-dogs tout garnis de la galaxie.

Avec une telle liste, j'aurais recherché un spécimen plus rare. Voire en voie d'extinction ou de non-apparition. Compliquant au plus haut point cette mission déjà assez ardue. Amanda trouve ma nouvelle liste pour le moins inusitée, mais peu crédible. Ce qui est aussi mon cas. Être dans la moyenne n'est pas une si mauvaise chose, après tout. Puisque, de toute façon, tout le monde le fait. Je décide de l'accepter et de l'assumer.

Amanda, qui aime se faire l'avocat du diable, m'interroge à nouveau.

— Est-ce que c'est quelqu'un pour perdre ta virginité que tu veux ? Ou plutôt un chum ? Parce qu'à lire ta liste on dirait que tu te cherches un *prospect*. Et ça, c'est plus sérieux. Et plus dur à trouver.

Ah ben crime ! C'est vrai que cette liste ressemble plus à une description en bonne et due forme de l'idéalisation d'un prince charmant. Ce qui peut prendre toute une vie à trouver, selon la majorité des revues de filles. Aurais-je passé une nuit blanche pour rien ? Mon seul critère devrait être et uniquement être :

1 — Doit vouloir prendre ma virginité.

J'y pense. L'idée m'écœure un peu. J'y pense encore. Tout ça semble sec comme une tranche de pain croûté congelé. L'appétit coupé net.

— Est-ce que c'est vraiment juste ça que je veux ?

Amanda me confirme qu'il s'agit de mon objectif ultime et que, pour y arriver, il est logique de m'imposer le moins de contraintes possible. Aaaaaaahhhhhhhh ! Je capote ma vie en m'imaginant me faire dépuceler par un gars pas-de-mon-goût, puant le poisson pas frais, rustre et rotant aux deux secondes. Le tout pour accomplir mon grand et immense défi ? Non merci ! Je ne suis pas prête à aller jusque-là. Je me respecte davantage.

Sur-le-champ, je décide que le Gars-avec-un-grand-G n'aura pas besoin de combler tous les critères, mais devra en combler au moins trois. Si, par la plus grande des chances, mon candidat remplissait tous les critères, grand bien m'en fasse. Le *jackpot* ce sera. Et l'équation est simple. Je couche avec. Je le demande en mariage. Je le marie. Je vis heureuse et comblée avec mon prince charmant jusqu'à la fin de mon éternité. Les gros lots, paraît que c'est rare que ça arrive. Mais j'aime bien me dire que c'est possible.

Amanda sort de l'autobus en me félicitant du compromis difficile que je viens de faire avec moi-même. Elle laisse la revue sur mes genoux et me suggère de lire l'article de la page 37, qui me sera d'une utilité plus qu'utile pour la prochaine étape de mon opération.

# JOUR 4

## Samedi

Étendue sur mon lit, j'ai le nez plongé dans la suggestion de lecture d'Amanda. Un article sur l'art de la séduction. Cette revue s'apprête à devenir ma bible. Mon guide ultime. J'ai encore beaucoup de choses à apprendre sur cet art complexe. Je m'immerge et m'imbibe de chacune de ses suggestions. « Le regard est le premier contact sans paroles permettant de créer un lien avec l'autre. » Intéressant. Je me place devant le miroir et exécute des moues de pupilles avec variation de l'arcade sourcilière. Avec beaucoup de conviction, je m'exerce à développer ma fibre séductrice. Je mets tant d'efforts et d'intensité dans mes regards qu'un mal de tête carabiné se déclare. Un verre d'eau serait le bienvenu pour l'aider à s'estomper. Je sors de ma chambre. Descends à la cuisine. M'apprête à ouvrir la porte de celle-ci. Mais soudain, j'entends une conversation enflammée entre ma mère et la voisine. Je les épie à travers la porte.

Ma mère et la voisine se situent à des antipodes extrêmes. Ma mère : reine des *straights*, secrétaire juridique, beauté naturelle, mariée à mon père depuis vingt ans. La voisine : princesse du bling-bling, de la paillette et du maquillage en quantité industrielle, célibataire perpétuelle, sans enfant, chasseuse incessante d'hommes et porteuse de talons hauts en toute occasion. Leurs discussions sont toujours ultradivertissantes. Avec amusement, je les espionne pour connaître la teneur de leurs propos du jour. Je ne suis pas déçue. La voisine, avec une tristesse incommensurable, raconte un xième échec amoureux.

— Cunni m'a pas rappelée depuis deux semaines. Y retourne jamais mes appels. J'pense que c'est fini.

— Cunni ? C'est son nom ? C'est spécial, hein ? Il vient d'où ?

— Ben non, c'est pas son nom. C'est un surnom que je lui ai donné. Parce que j'ai jamais eu un amant qui faisait des cunnilingus aussi bien que lui.

Ma mère fait un rire nerveux, mal à l'aise à l'idée d'apprendre l'origine du nom de l'amant de la voisine. Je l'imagine déjà regretter avoir posé sa question. Deux femmes, deux réalités. J'ai probablement plein de choses à apprendre de la voisine. Elle pourrait sûrement me renseigner sur les cunnilingus et sur beaucoup plus. En tout cas, beaucoup plus que ma mère. J'en suis convaincue.

— C'est décidé. J'arrête de les chasser comme une chaude lapine, lance d'un coup la voisine, confiante.

Nouveau signe de malaise de ma mère à l'expression « chaude lapine ».

— Je dois être la proie, et l'homme, le prédateur. La nature est ainsi faite, ajoute la voisine.

Illumination soudaine dans mes neurones qui s'interconnectent rapidement. J'entends une série d'alléluias retentir au fond de ma cervelle. Ma voisine : mon nouveau gourou. Elle me fait réaliser que ce n'est pas à moi de le chercher, c'est à lui de me trouver. Des feux festifs s'allument dans mes yeux. Alléluia, alléluia, alléluuuuuuuuuuia !

Je remonte les marches quatre par quatre. Mon mal de tête s'est volatilisé. Trop excitée à l'idée de devenir une proie. Une proie alléchante. La plus alléchante du quartier. De l'école. De toute la ville.

Pour y arriver, la séduction doit devenir ma meilleure alliée. Avec entrain, je me jette sur mon lit pour terminer ma fascinante lecture. Je veux tout savoir. Tout mettre en pratique. « Quelqu'un qui sourit est considéré comme beau. Une personne souriante est jugée plus sociable, plus agréable, donc plus séduisante, quel que soit son sexe. » Je retourne devant mon miroir et opte pour le regard de feu jumelé à un sourire enjoliveur. C'est beau. Ça marche bien. Mais il manque encore une *twist*, un petit quelque chose pour me rendre encore plus irrésistible.

Mais quoi ? Aucune idée.

J'ai toute la fin de semaine pour y penser et pratiquer avec assiduité chaque technique de séduction. Les chasseurs ne perdent rien pour attendre. Lundi matin, ils auront une proie de luxe à pourchasser.

# JOUR 6

## Lundi

Dans les toilettes de l'école, je sors un *kit* de séduction, concocté durant la fin de semaine pour être sexy du bout du nez au bout des pieds. J'extirpe chaque objet en l'observant avec satisfaction. Sexy string acheté chez La Belle. *Check.* Sexy rouge à lèvres, sexy ombre à paupières et sexy crayon au khôl empruntés à Élisa. *Check.* Sexy bottes à talons hauts empruntées à Amanda. *Check.* Sexy boucles d'oreille en anneaux volées à ma mère. *Check.* Sexy décolleté emprunté à la voisine. *Check.* Sexy jupette cousue dans une vieille paire de jeans. *Check.* Je me glisse dans une cabine des toilettes. Enfile mes nouveaux atours. Ressors quelques minutes plus tard, métamorphosée comme le papillon naissant. Pour la touche finale, j'applique sur mes paupières, mes lèvres et mes joues des quantités massives de maquillage. La totale.

Sexy Lou. *Check.*

Amanda, Élisa et Olive, curieuses, surgissent dans les toilettes. Elles me voient. S'arrêtent net. M'observent de long en large, l'air ahuri. Je me pavane comme si j'étais une concurrente au concours Miss-n'importe-quoi. Mais les talons hauts n'étant pas encore ma tasse de thé, ma démarche manque un peu de classe. Je suis en constant déséquilibre d'un pied à l'autre, essayant de me réajuster tel un funambule sur un fil de fer. Pour l'instant, j'ai plus l'air de la fille pompette qui sort d'un bar à trois heures du matin. Disons que je suis Miss-n'importe-quoi dans les ligues amateurs. Pratique et rigueur seront nécessaires si je veux monter en grade et devenir une Sexy Lou vraiment crédible. Amanda recule, horrifiée :

— *Oh my god!* T'as l'air d'une guidoune !

Je la regarde croche, n'aimant pas sa soudaine déclaration, et cherche le réconfort dans le regard de mes deux autres amies, qui ont habituellement plus de tact.

— Pour vrai ?

— Disons que c'est surprenant à quel point tu n'as plus l'apparence délicate d'une jeune adolescente, ajoute Élisa, future aspirante à la diplomatie dans un pays quelconque.

— C'est *wacko* ! réplique Olive, fille de peu de mots.

Venant d'Olive, ça peut aussi bien être positif que négatif. Ce n'est jamais clair.

Le son de la cloche retentit. Je scande, assumée :

— J'ai l'air d'une Sexy Lou. Pas d'une guidoune !

Je sors confiante, fière et tanguant encore de droite à gauche de manière précaire sur mes talons-échasses. Prête à être conquise par le monde entier. En commençant par les garçons de mon école. Amanda, Élisa et Olive me regardent partir, avec le regard inquiet de la mère moineau qui laisse voler son oisillon pour la première fois.

Avec grâce, j'étrenne mon nouveau style dans les corridors. Mais à chaque nouveau pas, j'ai la vague impression d'être dévisagée avec de plus en plus d'intensité. Je poursuis ma marche de séduction. Plus j'avance, plus les regards sont soutenus et les rictus, grimaçants. De moins en moins confiante je suis.

Je réajuste mon string-zéro-confort en fronçant les sourcils. Je n'ai pas du tout la sensation d'être vue comme un objet de convoitise, mais plutôt comme un objet de moquerie. Ça ne va pas du tout. Je me répète une série de phrases pour m'autosoutenir : « Je n'ai pas l'air d'une guidoune. J'ai l'air d'une jeune fille sexy et confiante. Je suis Sexy Lou. La plus belle d'entre toutes. » Je mets ainsi en application les propos d'un article lu récemment sur Internet qui vantait la pensée positive comme point de départ de la confiance en soi. Si je crois que je suis sexy, les autres vont croire que je suis sexy. Simple comme dire « bonjour » le matin. Mais plus ça va, plus j'ai l'impression qu'il n'y a que moi, et seulement moi, qui y crois. Finalement, faut peut-être pas croire tout ce qu'Internet dit. Je ne suis pas juste en déséquilibre sur mes talons-du-diable, je suis complètement déstabilisée. Ma tactique semble être un échec plus que retentissant. Moi qui croyais avoir tout bien calculé. Pourtant, aucun prétendant n'est à mes pieds. Bien au contraire, les gens semblent s'esquiver sur mon passage. Une bête de cirque provoquerait moins d'émoi que moi.

Les questions se bousculent dans mon esprit congestionné. Égarée dans ma tête comme dans un grand brouillard, j'en perds fatalement l'équilibre. Je m'enfarge dans mes pieds, trébuche et m'apprête à tomber face première au sol. Mais, comme dans une scène d'action au ralenti, je suis rattrapée au vol et *in extremis* par Justin, qui me ramène rapidement dans une position verticale. Il me regarde, sourire perplexe aux lèvres. Je le regarde à mon tour, l'air malaisé, en réajustant une autre fois mon string-de-bouette. Il me dévisage. Puis, son regard s'illumine d'un coup comme s'il venait d'ouvrir une ampoule 100 watts dans ses pupilles.

— Lou ? Je t'avais pas reconnue !

Lui, Justin, voisin un peu musicien et éliminé des candidats potentiels dû à la proximité de l'habitat. Moi, Lou, apparemment méconnaissable avec mes airs de clown qui vont sûrement être à la une du journal étudiant. Justin me scrute.

— T'as l'air…

— D'une guidoune ! Je SAIS !

— Euh… non… C'est pas ce que j'allais dire… T'as juste pas l'air d'être toi…

J'esquisse un léger sourire. Je rumine ce qu'Amanda, Élisa, Olive et Justin ont dit.

— Ouais… Je sais…

Le sexy string, le sexy maquillage, les sexy bottes, le sexy décolleté, la sexy jupe, les sexy bijoux, tout ça a l'air bien beau en théorie. En réalité, je n'ai pas du tout l'apparence d'une Sexy Lou. Parce que ce n'est pas moi. C'est zéro moi. Je suis une réplique comique et ridicule d'une page de magazine. J'essaie de me faire croire que je peux faire la couverture du *FillesIn*, mais, sérieusement, tout ça, ce n'est pas sérieux. Je suis au bord de la crise de larmes. À quoi j'ai pensé? Je me trouve ultrapioche et prends plaisir à m'autoflageller pour cette stupide idée.

Je prends mes cliques, mes claques et mes talons, que je retire avec joie de mes pieds. Je cours en direction opposée sous le regard stupéfait de Justin, qui m'observe disparaître comme une fusée. Furieuse, je rentre à nouveau dans les toilettes. La colère me colle à la peau comme cet abject *kit*. M'imposer tous ces bidules est d'un ridicule! J'enlève jupe, décolleté, string. Les jette avec conviction sur le plancher. Comme un *statement*.

À grands jets d'eau, je décape mon visage de ses quantités insupportables de maquillage. Comme un grand soulagement.

Essai-erreur. Il faut tester pour savoir. Mon expérimentation me prouve que le *look* Sexy-Lou-Guidoune ne me convient pas. Et pourrait même nuire à ma personnalité et à mes relations sociales. À l'avenir, je dois séduire autrement. Différemment. Avec mes propres règles. En commençant par des jeans, des baskets et mon plus beau sourire.

# JOUR 7

## Mardi

Pause. Arrêt. Pour retrouver le focus. Stop. Comme quand j'écoute un vieux film de trois heures et demie et que j'ai envie de pisser. Je n'ai pas envie de pisser, mais de prendre une pause de moi. Ou plutôt de ce défi qui m'obnubile déjà jour et nuit. Depuis huit jours, c'est comme si rien d'autre n'existait. Huit jours que j'ai arrêté d'écouter le téléjournal alors que j'étais une groupie finie, huit jours que je n'agace presque plus mon frère, huit jours que je n'écoute plus ma musique électro-trash alors que, d'habitude, j'ai les écouteurs collés aux oreilles. Huit jours que mon attention n'est réservée qu'aux garçons et à une façon de les harponner. Mais il y a des limites à ne faire que ça. Je commence à m'achaler moi-même. Plus rien ne va. Donc pause. Pour la journée. L'objectif n'existe plus. Je le jette aux oubliettes. Je me consacre à moi.

Je passe l'heure du dîner à faire des recherches et à récolter des informations sur l'histoire des *flash mobs* et ses diverses variations pour mon émission de radio du lendemain. « Freezeparty », « carrotmob », « métrofête », « kissmob », « zombieday » sont des nouveaux mots dans mon dictionnaire *funky*-urbain. J'ai déjà hâte que demain arrive pour réaliser mon entrevue avec l'organisateur du Zombiesamedi annuel. Je n'en peux plus d'attendre la fin de semaine pour participer à l'événement. Tout ça, ça va me changer les idées.

Je me dirige rapido à mon cours de maths. Je suis vite rejointe par Amanda.

— Pis, comment avance le défi ?

— Chhhuuuutttt ! Je n'y pense plus. J'ai mis ça sur la glace.

Amanda comprend tellement. Elle me trouvait intense dans les derniers jours. Selon elle, j'étais devenue la Hulk de la séduction. Elle exagère un peu. À peine.

Assise au fond de la classe, je gribouille des personnages à deux têtes et à six yeux dans les marges de mon cahier d'algèbre, pendant que le prof explique avec passion l'inéquation à deux variables. Ce qui n'est pas du tout une passion partagée entre lui et moi. La porte de la classe s'ouvre. Un coup de vent ébouriffe mes cheveux. Je lève la tête. Le mont Everest du *sex-appeal* s'offre en cadeau à mes yeux. La splendeur dans toute sa beauté. Le nouveau venu donne un papier au prof et s'assoit à une place libre dans la première rangée. Pour la première fois de ma vie, je regrette de toujours m'asseoir à l'arrière. Si j'étais à l'avant, je serais présentement côte à côte avec le plus beau joyau de la Terre. Je chuchote, émoustillée, à Amanda :

— C'est qui ?

J'ai droit à un haussement d'épaules dubitatif de sa part. La réponse ne tarde pas à venir de mon prof de maths.

— Classe, je vous présente Farid. Un nouvel élève dans l'école. Soyez gentils avec lui.

Émerveillée, je souffle à Amanda :

— Un nouveau ?

À mes lèvres que je mords de désir, Amanda déduit que le nouveau me fait un effet grave.

— Tu mettais pas ton défi sur pause, toi ?

Avec un garçon aux cheveux bruns bouclés, au regard noir et profond, au teint basané et à l'allure svelte et athlétique, rester sur pause est impensable. J'ai plutôt envie d'appuyer sur avance rapide. Je suis désormais persuadée qu'Amanda a des dons de devin. Dans mes os de poulet, elle avait vu un homme aux cheveux ébène et au regard profond. En plein Farid. Oui. Fariiiiiiid.

Un flot d'images romanesques se creuse dans mes entrailles. Moi, dans ses bras, en robe de mariée. Lui, qui me fait tournoyer. Nous, riant aux éclats. Moi, étendue sur son torse dans un hamac sous des cerisiers en fleurs. Lui, torse nu, récitant *Beaucoup de bruit pour rien* de sa voix suave. Moi, lui caressant le torse. Lui, m'embrassant. Nous, heureux. Moi, sous une chaude pluie d'été, mon regard rivé sur lui. Lui, hypnotisé par mes yeux de lucioles. Moi, qui lui dis : « Je t'aime. » Lui, qui répond : « Je t'aime. » Moi, qui lui réplique : « Je t'aime, je t'aime, je t'aime. » Lui, qui ajoute : « Je t'aime, je t'aime, je t'aime, je t'aime. » Nous, amoureux à s'en faire des batailles de « je t'aime » sans fin. C'est lui qu'il me faut. C'est lui que je veux. C'est lui dont j'ai besoin. Je dois l'ensorceler comme il m'ensorcelle. L'objectif du défi Lou Lafleur peut reprendre vie. Farid vient de le ranimer avec fougue.

Hypnotisée par mon nouvel apollon, j'essaie d'établir un contact visuel. Afin d'avoir une meilleure vue sur ce délice, je me penche sur le bout de mon siège. Fin prête à analyser la grandeur de son lobe d'oreille. La douceur de son cuir chevelu. L'aisance de ses mouvements corporels. De plus en plus penchée, je l'épie sans censure. Jusqu'à ce que… « Aaaaaaaaaahhhhh ! » Je me retrouve à moitié à terre, me retenant au sol d'une main et me poussant avec difficulté sur celle-ci pour reprendre place. Emportée par mon excès de voyeurisme, je me suis inclinée une coche de trop. La coche qui vous fait basculer sur le côté. Mon cri a attiré l'attention de tous. Celle de Farid aussi. Tous, même Farid, me regardent me débattre dans des acrobaties circassiennes. J'ai, ces derniers temps, une facilité inouïe à attirer l'attention. Ça m'arrive souvent. Beaucoup trop souvent.

Amanda est morte de rire. Comme d'habitude.

— Mademoiselle Lafleur ? Vous avez quelque chose à ajouter, peut-être ? me demande le prof de maths.

Je prends un air innocent pour répondre le plus dignement possible :

— Euh… non… non… Je fais…

— … dur… Tu fais dur ! me glisse Amanda, entre deux rires.

Je l'ignore et continue ma phrase le plus normalement du monde, en étirant avec flexibilité mon bras libre au-dessus de ma tête.

— … des étirements. Je fais des étirements.

— Gardez ça pour le cours de gym, s.v.p., mademoiselle Lafleur.

Je réussis, de peine et de misère mais avec un maximum d'aisance, à me replacer dans la position normale de l'élève modèle, en ajoutant un honnête « Oui, Monsieur ».

Clairement, c'était une manière admirable de me faire remarquer par Farid. Dans sa tête, je suis déjà étiquetée comme la fille qui se prend pour Nadia Comăneci. Mais peu importe. Dans ma tête, il est étiqueté comme celui qu'il me faut pour mon défi. C'est lui. Sans l'ombre d'un doute.

# JOUR 8

## Mercredi

Réveillée et levée depuis cinq heures du matin, j'effectue d'importantes recherches sur Internet. Ce qui n'est généralement pas dans mes habitudes. Je me lève, au contraire, toujours après la sonnerie de mon réveil, de mauvaise humeur, emmaillotée dans mes draps jusqu'à la dernière seconde. Mais ce matin, à cinq heures, j'ai fait un rêve étrange mettant en scène Farid. Pour qui j'éprouve, depuis vingt-quatre heures, un désir grand et grandissant.

Nous sommes dans une immense pièce blanche et vide. Je suis vêtue d'un joli déshabillé en dentelle noire. Farid est là. Il me dénude de ses yeux. M'envoie des regards aguicheurs. Me lance : « Faisons l'amour, ma belle ! » Me dévêtit de mon bustier. Je fige. Désemparée. Incapable de bouger, mon corps entier se paralysant. Les murs se rapprochent de moi. Ils se referment sur mon corps statique. Me compressent. Paniquée, je n'arrive toujours pas à bouger. Les murs m'écrasent. M'emprisonnent. Fin du rêve. Réveil en sursaut.

Mon réveil à l'aube m'a permis d'approfondir mes connaissances sur mon sujet de l'heure et de constater que le célèbre dicton « l'avenir appartient à ceux qui se lèvent tôt » n'a rien de con. Il est rempli de véracité. Depuis cinq heures du matin, je cherche un moyen pour m'éviter d'être désemparée comme la Lou de mon rêve. Cette Lou passive qui se fait fatalement écrabouiller. Je me refuse un destin aussi tragique. « Plus j'en saurai, moins je figerai. » Voilà le dicton que je me suis inventé. Depuis des heures, j'épluche avec vivacité cette chose étrange qu'on appelle le *Kamasutra*. Oui, le *Kamasutra* pourrait être un plat indien aux épices savoureuses. Oui, le *Kamasutra* pourrait être le nom de la prochaine *slush* populaire au dépanneur du coin. Oui, le *Kamasutra* pourrait aussi être, à la limite, un manège de haute voltige à La Ronde. Mais il n'est rien de tout cela. Il est encore mieux.

J'examine le *Kamasutra*, cette bible des positions sexuelles, avec une attention infinie, m'attardant à chaque petit-micro-mini détails. Je dessine dans un calepin de multiples croquis des 64 variations sexuelles possibles, en mémorisant leur nom : la levrette, le 69, le bateau ivre, l'Andromaque, l'enclume, l'union du lotus et alouette. Tout en tentant de me souvenir des particularités de chacune : où se trouve le pied, quoi faire avec la langue, comment positionner les mains et alouette. J'apprends le *Kamasutra* par cœur comme j'apprends les éléments chimiques du tableau périodique pour mon examen de chimie. Ce matin, si j'avais un test-surprise sur le *Kamasutra*, j'obtiendrais un 100 % garanti. Lorsque Farid et moi serons ensemble, seuls, dans une chambre, en vrai ou en rêve, il est hors de question que j'aie l'air d'une idiote. Je serai, au contraire, la pro du *Kamasutra*. L'amante érudite.

*

Sur les marches, devant l'école, entre deux bouchées d'un muffin aux carottes, je parle de mes fascinantes découvertes matinales à Amanda.

— La brouette thaïlandaise ? T'as vu de quoi ça a l'air ? Il faut être une championne olympique pour réussir ça !

Brouette thaïlandaise : l'homme debout, la femme la tête en bas qui se tient sur ses mains pendant que l'homme lui fait l'amour. « Impossible, quoi ! » Je dépeins à Amanda les différentes positions aux allures bizarroïdes qui m'ont marquée. Mais surtout, je m'interroge sur mes capacités physiques à les reproduire. Amusée par mon inquiétude, Amanda ne prononce qu'un mot : « missionnaire ». Je soupire, désappointée.

— Si simple, comparé à la panoplie des autres possibilités !

— Pour une première fois, je pense que c'est déjà un bon début, insiste Amanda.

La position a été testée et approuvée depuis des millénaires par des millions de couples lors de leur première fois, et personne ne s'est plaint jusqu'à présent. Vu de cette manière, c'est vrai que le « missionnaire » semble une bonne option de départ. Garder ça simple et stupide, c'est gagnant. Mais l'envie d'essayer un jour la brouette thaïlandaise avec Farid m'excite aussi au plus haut point. Tout un exploit à réaliser pour lui et moi. Mais peut-être pas pour commencer. Chaque chose en son temps. Surtout que Farid et moi, ce n'est pas encore fait. Il faudrait d'abord penser à lui parler avant de fantasmer à une brouette thaïlandaise commune.

*

Installée devant le micro, je relis mes notes pour mon entrevue et mon exposé radiophonique sur les *flash mobs*. J'entre en onde dans trois minutes. Mon prof de théâtre, responsable sur l'heure du dîner de la radio étudiante, entre dans le studio.

— J'ai eu l'idée d'inviter le nouveau à venir parler de lui, me dit-il.

— Farid ? En entrevue ? Ici ?

Mon prof de théâtre opine. Les dix dernières minutes de l'émission seront consacrées à Farid. Au beau, au grand, au splendide Farid. Et JE devrai mener l'entrevue et le mettre à l'aise. Et JE devrai lui parler. Mon prof de théâtre sort, sans se douter de la bombe atomique qu'il vient de poser dans le studio. J'explose de l'intérieur. Je suis stressée comme un lapin poursuivi par un renard. Mes mains sont passées de sèches à moites en l'espace d'un quart de seconde.

Dans 5-4-3-2-1-0. Paf! Je suis en ondes. Focus. Concentration. Entrevue. Questions. Placotage. Extraits musicaux. Je questionne l'organisateur du Zombiesamedi de manière machinale, sans vraiment l'écouter. Sans vraiment porter attention à ce que je dis. J'écoute à peine la sélection musicale que j'ai concoctée, pourtant délicieusement bonne pour l'ouïe. Je placote sur les *flash mobs* de manière ennuyante, comme si je lisais les instructions pour assembler une bibliothèque Ikea. Toute mon énergie va sur les dix dernières minutes de l'émission et sur le comment-je-vais-faire-pour-avoir-l'air-*cool*-et-naturelle.

Il reste dix minutes.

Le moment fatidique arrive.

Farid entre dans le studio. Nerveuse comme un chevreuil pendant la saison de la chasse, je l'invite à s'asseoir. Je pose une série de questions. Son nom? Farid. D'où il vient? D'Iran. Parents immigrés. Situation au pays difficile. Guerre aux alentours. Valeurs différentes. Politique entre sunnites et chiites. Je retiens des bribes de ce qu'il dit. Tout se bouscule. Déconcentrée par nos genoux qui s'effleurent par hasard de temps à autre sous la table du studio. Déconcentrée par mes idées inspirées de mes trouvailles matinales. Je nous imagine déjà en position cuillère, suivie de la position culbute, suivie du moulin à vent. Des images rapides me montent à la tête mettant en vedette Farid, moi et la brouette thaïlandaise.

Il fait chaud. J'ai chaud. Le studio me semble plus petit qu'à l'habitude. Les murs se rapprochent. Comme dans mon rêve. Je me ressaisis. Pose d'autres questions. Passions? Cinéma. Musique électro. *Skateboard.* Art urbain. Je jubile. Nous avons des intérêts communs. Il me complimente d'ailleurs sur mes choix musicaux, qu'il trouve excellents. Je jubile davantage. Je pose d'autres questions : matière préférée, bouffe, voyage. Je reçois un texto d'Amanda : « Blonde? » La question essentielle : blonde? Non. Je suis au summum de la jubilation. Je termine l'entrevue par un : « Farid, le nouveau briseur de cœurs de l'école, bienvenue parmi nous. » Farid rougit. Je rougis. L'émission prend fin. Le temps a passé en un éclair. Et je n'ai rien vu aller. Farid me félicite pour mon émission et son contenu, qu'il aime beaucoup.

— Je me pratique à être journaliste.

— C'est réussi !

Je rougis encore plus. Puis, comme si le courage m'était rentré dedans à cent mille à l'heure, je lui demande, le plus naturellement du monde :

— Tu m'accompagnes au Zombiesamedi ? J'en profiterais pour te faire faire un tour du centre-ville.

— Oui, réplique-t-il le plus simplement du monde, avant de me laisser son numéro et de quitter le studio.

BOUM ! Ma jubilation explose. Mon cœur prend de l'expansion. Mes phéromones voltigent dans le studio à une vitesse phénoménale. Mon prof de théâtre frappe dans la vitre et hurle un « Beau boulot, Lou ! » Beau boulot, mets-en. C'est même peu dire pour ce qui vient tout juste de se passer.

# JOUR 9

## Jeudi

J'écoute un film avec à ma gauche Amanda, en face, mon frère et sa blonde, à côté, un géant bol de pop-corn. Je me ronge les sangs en réalisant qu'il ne reste plus que deux jours avant le Zombiesamedi. Seulement deux jours pour être fin prête à séduire Farid. Mon frère *frenche* sa blonde en l'avalant. Comme si le film n'existait plus et qu'on n'était pas là. Je chuchote à Amanda :

— Tu penses qu'ils l'ont déjà fait ?

Amanda analyse leur langage corporel avant de répondre.

— C'est certain ! La main de ton frère entre les cuisses de sa blonde. Premier signe. La langue de sa blonde autour de son lobe d'oreille. Deuxième signe. Les soupirs langoureux des deux à chaque fin de *french*. Troisième signe. C'est sûr ! Ils l'ont fait. La synergologie ne ment pas. Ils l'ont fait. Et sont apparemment sur le point de le refaire.

— Peut-être même dans les prochaines minutes. En direct devant nous ! dis-je en blague à Amanda.

— Regarde et apprends ! me réplique-t-elle en riant.

Arrrrrrrrrkkkkkk ! Je refuse d'avoir en tête l'image de mon frère qui copule comme un fou lapin. Aussi bien mourir. Parce que s'il y a une chose que je n'ai surtout pas envie d'apprendre de lui, c'est bien comment faire l'amour. Je préfère nettement m'éduquer autrement en cette matière. Amanda blaguait, mais je la trouve cinglée d'avoir prononcé cette suggestion insensée.

La blonde de mon frère se lève et se dirige vers la salle de bain. Pour reprendre un peu son souffle et, sans nul doute, essuyer les litres de bave stagnante sur son visage. J'ai, tout à coup, une idée. Il est hors de question que mon frère devienne mon sexe-modèle, MAIS je réalise qu'il pourrait m'être utile autrement. Subtile, je m'approche en lui souriant à grandes dents, tel un carcajou approche l'aorte de sa proie. Mathieu n'est pas dupe.

— Tu veux quoi ?

— Je me demandais si tu serais assez gentil pour me donner deux ou trois condoms ?

Mathieu éclate d'un rire fou.

— T'es folle !

Mon frère n'a jamais été reconnu pour sa grande générosité. Loin de là. Mais j'étais certaine que, pour une fois, il ferait exception à sa loi anti-don-de-soi. Naïve, je suis. Il s'avance très près de moi. Me fixe. Un diable malicieux s'anime dans ses yeux alors qu'il me dit, d'une voix machiavélique :

— JAMAIS je ne te donnerai de condoms. Toi aussi, tu connaîtras la gêne et la honte d'aller à la pharmacie. De te tenir dans l'allée CONDOMS devant des étagères et des étagères de préservatifs aux noms et aux marques différentes. D'être prise d'embarras face aux innombrables choix qui s'offrent : condom XXL, nervuré, à saveur de fraise, fluo, ultra-lubrifiés. Durex, LifeStyles, Trojan. Toi aussi, tu hésiteras longtemps, anxieuse à l'idée d'être vue par quelqu'un que tu connais. Toi aussi, tu te frapperas la tête contre une tablette en hurlant « Pourquoi n'ont-ils pas fait un condom

*Première fois?* » pour te faciliter la vie. Toi aussi, tu connaîtras le malaise de te présenter devant la caissière avec pour seul achat une boîte de condoms. Toi aussi, tu connaîtras le désagrément de ces sentiments seconde après seconde. Minute après minute. Sans avoir aucun contrôle sur eux. Jamais je ne te donnerai de condoms. JAMAIS, m'entends-tu ? Tu passeras là où nous sommes tous passés.

C'est officiel. Je le savais déjà. Je viens d'en avoir la confirmation à 100 %. Mon frère est mon Voldemort personnel. Celui qui fait tout pour me nuire et rendre mon existence la plus pénible possible. Je le hais. Mais tant pis. Avec ou sans lui, condoms je me procurerai.

\*

Le néon de la pharmacie s'illumine au-dessus de ma tête. Je le regarde en me préparant mentalement à entrer. À passer à travers cette nouvelle épreuve qui, j'en suis certaine, n'est pas aussi désagréable que l'affirme mon frère. Amanda, derrière moi, m'encourage à l'aide d'un massage des épaules comme le meilleur entraîneur de boxe. « Je suis bonne. Je suis capable. » Amanda seconde avec un « Go ! Go ! Go ! Tu vas y arriver ! » J'avance. Les portes automatiques s'ouvrent. Je mets un pied dans l'entrée. Je me retourne. Amanda n'a pas bougé d'un poil.

— Tu viens ?

Amanda fait non de la tête.

— Tu viens pas ?

Je m'inquiète. Amanda m'assure que, pour une fois, elle donne raison à mon frère. Ça y est. Je savais qu'un jour ça arriverait. Mon frère l'a *brainwashée*, avec son esprit de persuasion et son charme incandescent. On se mutine contre moi et sans préavis. Amanda ajoute :

— Cette mission, tu dois la faire seule. Si tu réussis, ta fierté n'en sera que plus grande.

Sur cette réplique digne d'un film de science-fiction, les portes automatiques se referment sur moi, m'obligeant à pénétrer dans la pharmacie, seule. Que mon *raid* de condoms commence. Ils ont raison. Ni Amanda, ni mon frère, ni personne d'autre ne sera là pour me conseiller et m'encourager lorsque le moment de faire l'amour viendra. Je devrai me débrouiller seule. Aussi bien commencer le plus tôt possible. En tant que guerrière du sexe, je me dois d'apprendre à manier toutes les armes, à connaître tous les terrains. Acheter des condoms pour le tireur d'élite de mon cœur est une opération à maîtriser en solo.

J'arrive dans la section des condoms et réalise que mon frère n'avait pas tort. Il y a autant de sortes qu'il y a de saveurs de jujubes. Dans les jujubes, mes préférés sont : les framboises, les pieds à la cannelle et les p'tits nounours mous. Dans les condoms, mes préférés sont : biiiiiiip, il n'y a pas de réponse au numéro que vous avez composé. Au-cu-ne i-dée. Je prends les boîtes et les observe les unes après les autres, en quête de renseignements ou de signes pour me guider. Je cherche presque la section « valeur nutritionnelle », comme le fait mon père à l'épicerie quand il achète des nouveaux produits : « Ils sont fous ! 8 % de sodium. Ils pensent que je vais acheter ça. Pfffff. » Sur les boîtes de condoms, point de « valeur nutritionnelle » à l'horizon. Aucun indice pour faciliter mon achat. Je nage dans le vide. Dans le néant. Avoir une fortune astronomique, je ne me poserais pas de questions. Je dévaliserais le magasin en achetant une boîte de chaque marque, de chaque sorte. Mais je suis loin d'être riche, et cette option n'en est pas une. J'ai, subitement, beaucoup, beaucoup de misère à choisir.

Je m'aperçois alors que je ne suis plus seule à examiner la collection de préservatifs. Une main avec une boîte de condoms grise se tend dans ma direction.

— Ceux-là, ils sont bien. C'est mes préférés, me dit une voix qui m'est étrangement familière.

Mon regard suit la main, longe le bras et poursuit sa course jusqu'au visage de mon interlocuteur. Oui. C'est ce que je croyais. Justin. Qui, le plus naturellement du monde, me propose sa saveur du mois en matière de condoms. Je prends la boîte avec l'impression d'avoir le visage couleur sauce spaghetti. Il fallait que je tombe sur une connaissance. Évidemment. Mon frère avait encore raison. Mais pire que ça, il fallait qu'en plus cet ami se sente obligé d'être mon conseiller en matière de latex. Aaaaaahhhhhh ! La honte m'assaille. Je me sens si mal.

Je laisse le sentiment m'assaillir et je me convaincs mentalement de ne pas le laisser prendre le dessus. Je me ressaisis. Dis un léger et reconnaissant « merci ». Et ajoute un léger et malaisé « C'est la première fois que j'en achète ». Justin s'en doutait. Il magasine dans la pharmacie depuis dix minutes et depuis dix minutes, il m'observe être stoïque devant l'étagère. En preux chevalier, il a cru bon m'offrir un coup de pouce. Pour m'aider à dérougir un tantinet, il ajoute :

— C'est comme acheter des sacs Ziploc. Il n'y a rien là.

J'aime la comparaison. Je me l'approprie en serrant fièrement la boîte de condoms dans mes mains. Je le remercie mille fois et le laisse.

— Tu m'en redonneras des nouvelles ! me dit-il en pointant la boîte.

— Ou pas ! Je vais me garder une p'tite gêne, j'pense.

Je quitte la rangée. À la caisse, je décide d'ajouter à mon achat un trio de jujubes framboises-pieds-à-la-cannelle-et-p'tits-nounours-mous en guise de récompense. La caissière scanne ma boîte de condoms et mes jujubes pendant que je me dis : « C'est comme acheter des sacs Ziploc. C'est comme acheter des sacs Ziploc. C'est comme acheter des sacs Ziploc. »

— 15,46 $.

Je souris le plus naturellement possible en tendant mon argent. Fière. Encore rouge. Mais fière. J'assume l'achat de mes condoms presque sans honte et sans gêne. Et j'aime ça.

# JOUR 10

## Vendredi

Depuis hier soir, j'ai plongé à fond dans les abysses du monde joyeux des condoms. Après mon retour héroïque de la pharmacie, j'ai fait une recherche en tapant la phrase : « Comment mettre un condom. » 19 100 000 résultats. Impressionnant. Je me suis perduc dans les toiles d'Internet en visionnant avec concentration une quantité inimaginable de vidéos : des *hots chicks* mettant des condoms sur des *dildos*, des *cute dudes* mettant des condoms sur des concombres, une Danoise mettant un condom sur sa tête pour avoir l'air d'une extraterrestre, un Français mettant un condom dans une narine pour le recracher par la bouche, deux gars exécutant un concours de mâchage de condoms et ballounes, une Australienne sculptant une girafe dans un condom. Bref, j'ai été étonnamment surprise des multiples utilisations possibles de ce banal objet. Je m'en suis tenue à l'expérimentation de base : poser un condom sur une banane. Je me suis exercée beaucoup. Beaucoup, comme dans « toute la soirée ». Déchirer l'emballage, sortir le condom, s'assurer qu'il est intact, le mettre dans le bon sens avec le bout qui ressort, le placer au-dessus de l'hypothétique pénis (dans mon cas, la banane), le descendre sur l'hypothétique pénis (toujours la banane) en déroulant les bords. Si simple. Si facile. Ma nouvelle étiquette : poseuse officielle de condoms sur d'hypothétiques pénis (des bananes). Bientôt en devenir d'être une poseuse officielle de condoms sur de réels pénis.

*

Dans ma chambre, mon nouveau temple de recherche, je fais une démonstration à Amanda, à qui j'ai parlé de mes exploits de la veille et qui veut être juge de mes nouvelles qualifications. Elle est éblouie. J'apprends vite. C'est sûr, je suis motivée. De toute évidence, la motivation nous fait apprendre avec plus de rapidité. Elle me demande de le faire les yeux fermés. Je le fais les yeux fermés. Elle me défie de le faire en mangeant un biscuit soda et en sifflant. Je le fais en mangeant un biscuit soda et en sifflant. Elle m'oblige à le faire les mains derrière le dos. Je le fais les mains derrière le dos. Elle veut savoir le nombre de condoms que je peux poser en une minute. Elle part le chronomètre. Je mets un condom sur une banane, sur un concombre, sur ma vieille poupée Ken, sur ma bouteille de fixatif, sur une chandelle, sur le rouleau de papier essuie-tout. Stop-chrono. Une minute : six condoms. Amanda est stupéfaite devant mes magistrales performances et n'a plus de défi à me proposer. Elle m'honore des plus beaux compliments. Je pose des condoms plus vite que mon ombre. La meilleure de toutes les meilleures. À se demander si je ne pourrais pas figurer au *Livre Guinness des records*.

Amanda rit à la vue de Ken enveloppé dans un condom. Les temps changent. Et l'utilisation de nos poupées Barbie n'est plus celle que nous faisions à une certaine époque. Je rigole. C'est vrai. On est rendues ailleurs. Je prends Ken et Barbie et leur fais faire l'amour dans la position du lotus inversé. Amanda lève les yeux au ciel. Faudrait surtout pas que quelqu'un me surprenne là-là. La scène est particulière.

Au même moment, j'ai une inspiration soudaine, animée par l'action faite à mes poupées en plastique. Je veux parfaire encore plus mes connaissances de base pour qu'elles deviennent des connaissances expertes.

— As-tu déjà écouté de la porno ?

Amanda lève les yeux au ciel une seconde fois.

— Non. Et tu commences peut-être à vouloir aller trop loin, Lou.

J'affirme sérieusement :

— J'approfondis le sujet sous tous ses angles comme une excellente journaliste.

Elle grimace de toute la longueur de sa langue à mon idée. Elle considère qu'écouter de la porno est une véritable perte de temps. Amanda m'affirme que cet angle-là, elle ne l'explorera pas avec moi, avant de partir pour son souper mensuel du vendredi chez sa grand-mère. Contrairement à elle, je suis enchantée par ma proposition. Internet regorge de trésors saugrenus ne demandant qu'à être explorés. Vus. Analysés. Je tiens à connaître toutes les possibilités. Plus je serai outillée, plus je serai en confiance lors de ma première fois. Personne ne peut mieux m'équiper que des pros qui s'exercent jour après jour. Des pros de la porno.

Le problème, c'est que je ne sais pas par où commencer. L'univers de la pornographie semble plus vaste encore que l'univers des condoms. Y sombrer et m'y perdre m'effraie un peu. Une merveilleuse idée jaillit dans mon esprit, comme il m'arrive si souvent d'en avoir ces derniers temps. Si Amanda n'est pas assez solide pour m'accompagner dans cette aventure, je vais me trouver un nouvel acolyte qui s'y connaît mieux. J'ouvre la porte de ma chambre. Je dévale les escaliers. Sors de la maison. Cours sur le terrain. Arrive sur le terrain du voisin. Prends mon courage à deux mains. Sonne à la porte. Justin répond. Justin que j'ai décidé d'utiliser comme nouveau complice du défi Lou Lafleur. Justin qui, s'il sait quel condom acheter, doit aussi savoir quelle porno regarder. Dans ma tête, les deux vont de pair. Je demande à Justin de m'amener à l'abri des oreilles indiscrètes. Dans le cabanon derrière sa maison, je lui confie mes plans du défi Lafleur et mes prochaines aspirations. Il me regarde un peu croche. Me trouve un peu bizarre, aussi. Je m'en fous. Quand on a besoin d'aide, il faut savoir aller la chercher.

Admiratif de ma surprenante détermination, Justin trouve l'offre de devenir mon mentor-samaritain-à-la-découverte-de-la-porno à la fois inusitée et intéressante. Il réfléchit à peine trente secondes avant d'accepter, en m'avouant que je ne me suis pas trompée. Le visionnement de porno fait partie de sa vie de façon assez régulière. Comme il a les hormones au plafond, cela l'aide à canaliser ses énergies. Il n'avait rien prévu ce soir et est prêt à m'y initier sur-le-champ. La chance que j'ai ! Je suis aux anges. J'ai trouvé la personne idéale pour approfondir un sujet méconnu. J'ouvre mon calepin. Je saisis mon crayon. Prête à prendre des notes. Prête à explorer les méandres de la pornographie. Justin part prendre son ordi. Je cours chercher du pop-corn. Quelques minutes plus tard, nous sommes confortablement installés dans des poufs devant son écran. Au fond d'un cabanon, nous nous offrons une soirée spéciale pop-corn et porno, que je rebaptise « pop-porn ». Drôle de combo !

Il me propose une première vidéo intitulée *Trois pouliches et un étalon*. Avec un titre pareil, ça pourrait presque être un dessin animé pour enfants. Cette idée s'évapore vite à la vue des premières images. Le film commence sur un chantier de construction avec un homme en sueur, torse nu, qui enfonce un clou dans un mur. Il est vite rejoint par deux femmes vêtues davantage pour être sur une plage que sur un chantier. L'une d'elles, coquine, lui dit : « C'est un gros marteau que t'as… » Côté dialogue, ça part mal. Même moi, je pourrais faire mieux. Je n'ai pas le temps de penser aux améliorations scénaristiques à apporter qu'un flot d'images défile à l'écran. Tout s'enchaîne. Vite. Ils se jettent les uns sur les autres. On voit des sexes. On voit des seins. On voit des fesses. Des gros plans se succèdent dans un montage saccadé, avec en fond sonore un concours de cris intenses et de respirations prononcées. Sexe-fesse-sein. Sein-sexe-fesse. Fesse-fesse-sexe. Sans relâche. C'est rapide. Brusque. Déstabilisant.

Peu appétissant.

Avant l'arrivée de la troisième « pouliche », je mets cette vidéo osée sur pause. Je regarde Justin, dégoûtée. Ce plongeon dans un monde aux images et aux sons étranges et étrangers me choque.

— T'en as peut-être vu assez, hein ?

— Ouais. Peut-être…

Tout cela est cru. Sec. Génital. Ça me *turn-off* comme ce n'est pas possible, tout en attisant ma curiosité.

— Toi, ça t'allume ?

— Assez. Mais c'est peut-être pas fait pour tout le monde.

— C'est juste que je trouve ça… vide.

— C'est d'la porno. C'est pas une comédie romantique, tsé. Je pense qu'en général les filles tripent moins.

C'est vrai. Je ne tripe pas. Mais pas du tout. Justin m'avoue qu'il m'a montré une des vidéos les plus *soft*. Il soutient qu'en matière de porno je n'ai encore rien vu. Moi, je considère, au contraire, en avoir vu bien assez. La pornographie ne m'interpelle pas.

Cette vue de fantasmes illustrés m'enlève presque le goût de faire l'amour. Justin me rassure. Ce n'est pas la vraie vie. Et la vraie vie n'a pas à être de la porno. Je me convaincs de tout faire pour que ma première fois soit la plus éloignée de l'expérience de ces trois pouliches. Je veux qu'elle soit belle, tendre et transcendante. Justin m'observe tergiverser dans ma tête. Il comprend ce que je pense et me propose :

— On écoute le dernier *Ironman* à la place ?

J'opine. Pop-corn et *Ironman*. Un meilleur combo pour finir mon vendredi soir en beauté et m'endormir avec des images plus appropriées.

# JOUR 11

## Samedi

Sirop de maïs, confiture de framboises, gélatine, Quik au chocolat, gruau et blancs d'œufs. Tous les ingrédients nécessaires pour une recette de zombie réussie. Il ne manque rien. Avec Amanda, on fout royalement le bordel dans la cuisine avec nos cocktails de faux-sang-dégoulinant-et-motonneux, au grand désespoir de mes parents. Rien ne peut nous arrêter en cette merveilleuse journée de Zombiesamedi, pas même le regard parental désapprobateur. J'ai la ferme intention d'être une zombie plus vraie que nature pour m'auto-faire-peur en me regardant dans un miroir. Des tonnes de sang de framboises dégoulinent de mon front enduit d'argile. Répugnant.

Et parfait. Excitées par notre journée-en-devenir hors de l'ordinaire, nous montons vers ma chambre nous habiller de vêtements aux allures de guenilles achetés à la friperie. Vêtements qu'on a déchirés, troués, salis et froissés avec moult plaisirs. Je termine mon déguisement en coupant le côté d'un vieux t-shirt Adidas délavé, tandis qu'Amanda me tend avec conviction mon téléphone.

— C'est l'heure.

Je capote. C'est l'heure d'appeler Farid. J'ai la chienne. La totale chienne. Mon courage a pris un billet aller simple pour Trèstrèsloin-Ville.

— T'as dit que t'allais l'appeler.

— Je sais.

— Il t'a donné son numéro.

— Je sais.

— Il faut que tu l'appelles.

— Je sais.

Amanda impose le téléphone dans ma main. Avec la quantité de sang dans ma figure, impossible de le coller contre mon oreille. Je le mets sur haut-parleur. Ce qui permettra aussi à Amanda de suivre notre conversation mot-à-mot pour venir à mon secours en cas de détresse intense. Je compose le numéro de

Farid. Mes doigts tremblotent. Mon cœur danse la valse. Farid répond. Mes tripes s'affolent.

— Farid, c'est Lou.

— Salut !

— T'es toujours partant pour aujourd'hui ?

— Tellement !

— Super ! On se rejoint là-bas ?

— Parfait. Dans une heure ?

— Ça marche ! Rendez-vous à la statue de Montcalm.

— Tu vas voir. Tu vas me reconnaître facilement, j'ai l'air d'un zombie.

— Ahahaha ! Ça nous fait un point en commun, alors !

— J'ai hâte ! À tout de suite !

Je raccroche, folle comme un balai. Amanda me regarde et conclut :

— Conversation parfaite. Comme le début d'un beau et grand film d'amour. Félicitations, *zombie girl* !

Je soupire de soulagement et de satisfaction.

— Il a dit : « J'ai hâte ! » J'ai hâte. T'imagines ?

Ça veut tout dire. Il a hâte de me voir. Il a hâte de me parler. Hâte de me regarder. De me tenir la main. Il a hâte de tout. Avec moi. Mon futur amour.

Mon futur amant. Mon futur prince charmant. Moi, j'ai hâte à dans une heure. Je m'imagine déjà (et encore !) tous les possibles avec le beau, le grand, le splendide Farid.

*

Je traverse l'heure la plus longue de ma vie. Jamais avant aujourd'hui je n'avais vécu soixante minutes aussi interminables. C'est maintenant chose faite. Au pied de la statue Montcalm, j'attends Farid, en compagnie d'Amanda, Olive, Élisa et Justin. On prend des dizaines de *selfies* aux grimaces audacieuses. Les miennes sont les moins intenses, parce que j'ai juste hâte que Farid arrive enfin. Puis tout à coup, le plus beau zombie jamais vu traverse la rue. Ma grimace se transforme en un sublime sourire. Justin remarque ma soudaine transformation et me chuchote à l'oreille :

— C'est rare qu'on voie ça, une zombie souriante. Est-ce que ce serait l'heureux élu du défi Lou Lafleur ?

Je hoche la tête avec certitude, des étincelles dans les yeux.

— Peut-être que oui…

Farid, avec son sourire ravageur, s'avance vers nous. Les présentations se font illico presto. On rit. On niaise. On compare nos déguisements. Farid s'inclut parmi nous comme s'il avait toujours été là. Il admire mon allure de zombie et ajoute spontanément :

— T'es vraiment laide !

Wow ! Je jubile. C'est le plus beau compliment qu'on pouvait me faire aujourd'hui. Je le remercie, les joues rouges de gêne derrière mes taches de sirop de maïs. Farid est un vrai charmeur de zombies. À mon plus grand bonheur.

Une gigantesque *gang* de zombies fous déambulent au centre-ville. L'organisateur de l'événement me partage son enthousiasme. Plus de 450 zombies errent sur la rue Principale. Du jamais-vu. Dont beaucoup de jeunes de l'école. Fière, je me dis que c'est un peu grâce à mon émission qu'autant de zombies menacent la ville. J'en profite pour faire faire une visite touristique à Farid. La meilleure place pour manger de la crème glacée à la pistache. Le meilleur casse-croûte avec la patate la plus grasse. Le seul cinéma pour voir les derniers films au box-office et *frencher* en toute intimité. Le *skatepark* neuf pour faire les *moves* les plus fous en planche à roulettes. Le meilleur dessous de viaduc où créer les plus beaux graffitis. Le parc le plus vert pour jouer les meilleurs matchs de balle-molle. Je lui présente notre ville de fond en comble, avec ses attraits les plus alléchants. Farid est comblé. Vu l'inexistence du Lonely Planet de Mont-Saint-Élio, il me promet une reconnaissance éternelle pour lui avoir montré les hauts lieux de la ville. Je suis, selon lui, une excellente guide. Pour l'instant, je me considère surtout excellente à rougir à tous les compliments. Surtout aux siens.

Justin arrive dans ses lambeaux de zombie, en hurlant avec joie :

— *Partyyyyyy !* Les parents d'Iza sont absents ! Fête chez elle ce soir !

Tous répondent en chœur :

— Oh yeah !!! *Partyyyyyyy !*

Tout le monde se sépare pour mieux se retrouver chez Iza dans quelques heures. Le temps de pouvoir me décrasser la face. Ce n'est pas vrai que je vais laisser de la confiture de framboises et du sirop de maïs se fossiliser dans mes plis de joue. Ce n'est surtout pas vrai que je vais nuire à mes chances de peut-être *frencher* Farid ce soir à cause de ma face laide et collante. Il y a des limites à enduire son prétendant de maquillage de zombie suintant.

*

20 h 30. Amanda et moi franchissons la porte d'entrée de chez Iza. La maison est déjà bondée de monde. De tous les niveaux. Des plus jeunes aux plus vieux. Dans le salon, Justin joue des airs de guitare aux sonorités lascives sur lesquelles une horde de filles se déhanchent. Dans le corridor, les joueurs de l'équipe de basket de cinquième boivent des *shooters* de tequila à qui mieux mieux. Nous les évitons en faisant un détour par la salle à manger. La seule et unique fois où j'ai bu de la tequila, je l'ai vomie toute une nuit et j'ai vu défiler ma vie. Je me suis promis de toujours dire : « Tequila, non merci ! » Au fond de la salle à manger, Farid jase avec Olive et Élisa. Nous les rejoignons rapidement. Moi, d'un pas plus pressant et rapide que celui d'Amanda, qui me trouve un air de gazelle enjouée chaque fois que mon regard se pose sur Farid. Je la taquine en lui suggérant qu'elle n'est qu'une jalouse finie. Elle acquiesce. Elle aussi veut un beau, un grand, un splendide Farid.

Les filles initient Farid aux expressions québécoises les plus populaires. Les « pantoute », « asteure », « aweye », « achale-moi pô » revolent à vive allure dans la pièce. L'intégration 101 de Farid au Québec se fait à merveille. Si les filles continuent à ce rythme, il devrait se fondre dans la masse avant les douze coups de minuit. Mais Amanda, qui est la *best* des *best*, détourne sagement l'attention d'Élisa et d'Olive vers un but inconnu pour me laisser en paix et seule avec Farid. Je le zieute dans sa belle chemise blanche entrouverte de trois boutons. Farid a plus de panache que tous les gars ici. C'est vraiment moi la plus chanceuse.

Nous nous dirigeons ensemble vers la cuisine pour nous abreuver d'un nectar aux couleurs fluo, et buvons à notre santé et à notre splendide journée de zombie. Toutes les journées devraient être comme aujourd'hui. J'aimerais d'ailleurs qu'elle ne finisse jamais. Farid observe, troublé, une *gang* de gars faire un concours-de-main-dans-le-grille-pain. Le principe est simple : deux gars mettent chacun une main dans la fente du grille-pain en marche, le premier qui la retire est un perdant sur toute la ligne. Farid est abasourdi devant ce jeu. Il ne comprend pas comment des gens peuvent vouloir volontairement s'infliger de la douleur. Il me raconte des histoires de son pays. Où des gens ont été torturés violemment. Parfois jusqu'à être tués. Il ne comprend pas comment un être humain peut en faire souffrir un autre. Et encore moins comment un être humain peut y prendre plaisir. Je suis pendue à ses lèvres.

Farid est parfait. Il n'est pas juste beau. Il est aussi intelligent. Pacifiste. Humaniste.

— Ce n'est qu'un jeu stupide, dis-je, avant de lui prendre la main pour l'emmener ailleurs, afin de ne pas lui imposer plus longtemps ce jeu que je trouve, moi aussi, débile.

Je le trimballe dans le salon pour lui changer les idées. J'ai une envie folle de danser avec Farid. Parce que danser rapproche inévitablement. Danser c'est : se toucher, se coller, s'effleurer, se sentir. C'est des possibilités immenses de faire un avec l'autre. Et j'ai vraiment envie que tout cela m'arrive avec Farid ce soir. Comme tous les autres soirs de ma vie. Justin a troqué sa guitare contre son iPod, avec la mission de transformer le salon en discothèque branchée. C'est réussi au maximum. DJ Rock-la-casa est aux commandes et enchaîne les meilleurs *hits*. Sur les airs entraînants qui se succèdent, Farid, moi et des dizaines de personnes nous déhanchons dans tous les sens. Au fil des tounes, la sueur coule dans mon dos. Le désir de me rapprocher de Farid bouillonne dans mes veines. Mais ce n'est pas sur des airs de boum-boum tapageurs qu'il deviendra réalité. Au moment où je me dis que le rapproche-ment tant souhaité n'arrivera pas. Au moment où le découragement commence à fleurir, la musique entraînante se transforme en un *slow* langoureux. À croire que Justin lit dans mes pensées. Je le regarde en lui esquissant un sourire reconnaissant. Il me répond par un clin d'œil complice. Farid, enjoué, s'approche plus près. Ça sent la fusion à plein nez. Il me prend par la taille, me serre contre lui. Enfin. Me fait danser, collée à son torse. Enfin. Je fonds dans ses bras chauds et humides. Notre sueur s'entremêle. De l'extérieur, ça doit avoir l'air dégueulasse. Des litres de sueur puante qui entrecroisent leurs destinées. De l'intérieur, c'est jouissif. Je suis en total état d'euphorie grâce à mon gourou de l'amour et du bonheur. Je me transforme en marionnette molle dans son étreinte et me momifierais ici pour toujours. Il ne manque plus qu'un doux *french* pour que ce moment soit parfait. Je regarde Farid en léchant légèrement ma lèvre du bout de la langue, comme je l'ai lu dans les « 1001 façons de séduire ». Il ne capte pas le message, trop occupé à effleurer mon dos de sa main. Je recommence. Rien. Ses lèvres n'ont pas l'intention de venir à la rencontre des miennes. À croire qu'il n'a pas lu cet article. Pourtant, par ses caresses, je sens que notre attirance est partagée. Mais aucun *french* à l'horizon.

Je refuse que ma soirée devienne imparfaite à cause de ce microdétail. Il ne manque presque rien. Un tout-petit-mini *french* de rien du tout. Ma lecture estivale me revient en tête. Un roman de Jane Austen, où les protagonistes amoureux prennent 250 pages avant de finir par s'embrasser. Deux cent cinquante pages d'attente apathique et inutile avant de se donner un vulgaire baiser. Avec même-pas-de-langue. Je me rappelle de m'être juré de ne jamais prendre 250 pages avant d'embrasser le garçon de mes rêves. Il y a des limites à être téteuse et à attendre que l'autre fasse un *move*. Dehors, la gêne ! Je suis plus déterminée qu'un personnage d'un livre de Jane Austen. Propulsée par une motivation anti-austenienne, il ne m'en faut pas plus pour poser ma bouche sur celle de Farid.

Je le surprends.

Mais il ne tarde pas à retourner mon baiser avec passion, engouement. Nos langues se rencontrent et s'entrelacent. Elles jouent à cache-cache et se retrouvent. Des feux d'artifice explosent dans ma bouche et dans ma tête. Je *frenche* Farid. Ma vie, c'est la plus belle. Merci, Jane Austen, pour le contre-exemple.

# JOUR 12

## Dimanche

Je m'empiffre de gaufres noyées sous une tonne de fruits et de sirop d'érable, en racontant à Amanda la fin de ma soirée avec Farid. Comment nos mains étaient scotchées et inséparables. Comment il m'a embrassée sur le pas de la porte et qu'au même moment une étoile filante traversait le ciel. Comment la vie est belle et merveilleuse et splendide et délicieuse et douce. Et comment je n'aurais jamais pensé à quel point ça pouvait être facile de relever mon défi en si peu de temps. La fin de semaine prochaine BING, BANG, BOUM ! je ne serai plus vierge. Il suffit de vouloir pour pouvoir. Amanda trouve que mes émotions sont en montagnes russes.

Il y a cinq jours à peine, je me tenais au-dessus du ravin du désespoir, prête à y sauter. Dans mon summum de positivisme, je clame, philosophe :

— Toujours garder espoir. Ne jamais abandonner. Persévérer quoi qu'il arrive.

— Tu vogues sur le nuage de l'amour !

Et c'est le voyage le plus tripant ! Le fait que des gens payent des milliers de dollars pour s'envoler vers l'Australie est un non-sens. Alors qu'ils pourraient voyager tous les jours gratuitement au pays de l'amour. Amanda me trouve *too much* dans mes comparaisons. Je pue le bonheur à plein nez, et ça l'énerve un peu. Elle me laisse surfer solo sur mon cumulus de l'amour pour se rendre à son tournoi d'*ultimate* Frisbee, trop heureuse de ne pas avoir à supporter davantage mon insupportable joie de vivre.

J'aimerais tant céder à la tentation d'appeler Farid. Mais la bible de la séduction mentionne l'importance de laisser le désir ardent s'installer. Pour une suite des choses encore plus jouissive. De toute façon, même quand je ne le vois pas, je le vois. Je vois Farid dans mes gaufres. Je vois Farid dans mon jus d'orange. Je vois Farid dans ma fourchette. Sur ma fourchette. Derrière ma fourchette. Partout. Et si je ne le vois pas aujourd'hui, j'aurai le temps de mettre à exécution un autre de mes plans que j'ai en tête depuis hier.

Je termine ma dernière bouchée avant de texter Justin pour lui donner rendez-vous dans notre temple du secret et de la confidentialité, appelé plus communément « cabanon », pour une nouvelle mission spéciale.

Dix minutes plus tard, Justin entre dans le cabanon en imitant un agent d'infiltration, regardant tout autour pour s'assurer de ne pas être pris en filature. Dans son personnage d'espion en herbe, il me chuchote :

— La voie est libre, agente Lou. Vous pouvez me transmettre vos informations secrètes !

Je rigole au coton. Ces rencontres deviennent décidément plus sérieuses avec l'agent Justin. Je le mets au topo de la situation. Le résumé de ma récente vie le rend heureux, et il est content d'apprendre que mon défi évolue à vitesse grand V.

— Peut-on s'attendre à un mariage la semaine prochaine ?

Je ris jaune à sa soi-disant blague. Mais au plus profond de moi, j'aimerais hurler : « Ouiiiiiii ! »

J'enchaîne et entre dans le vif du sujet. Je ne suis pas ici pour rigoler, mais bien pour apprendre l'art de la fellation. Justin recule de quelques centimètres, ébranlé par ma directe déclaration. Incertain d'avoir bien compris, il réplique un « s'cuse, je suis pas sûr d'avoir bien entendu… » perplexe. Je lui explique mon raisonnement. En tant que grande exploratrice de la sexualité, et nouvelle recrue dans le domaine, je me dois de tout expérimenter. Mes dernières recherches m'ayant révélé que la pratique de la fellation avait augmenté en flèche dans les dernières années, je partage avec Justin mon intention de perfectionner ce nouveau sujet. Pour éventuellement maîtriser avec autant de grâce l'art de la fellation que l'art du *french*, dans lequel j'excelle déjà. Justin est incrédule :

— Euh… les deux commencent peut-être par la lettre F, mais c'est pas vraiment la même chose…

Avec une voix digne d'une animatrice d'émission de télévision populaire, je lui réponds, sûre de moi :

— Je sais. Mais je suis quand même persuadée qu'une sexualité épanouie au vingt et unième siècle doit aussi passer par le sexe oral.

— Et tu dis ça parce que…

— La majorité de mes lectures vont dans ce sens.

Au même moment, j'ouvre mon téléphone pour montrer à Justin mes nombreux signets archivés dans le dossier « fellation ». Comment la fellation dans les années 1960 était encore considérée comme un acte tabou. Comment il y a eu un boum au cours des trente dernières années en matière de sexe oral et de ses pratiques. Comment certains groupes de jeunes se l'approprient pour faire des concours de fellation dans les *partys*, considérés comme dégradants selon la majorité des sexologues consultés. Comment la fellation est la friandise dont tous les hommes raffolent. Je pourrais lui en parler en long et en large pendant une semaine tellement j'ai accumulé d'informations sur le sujet dans les vingt-quatre dernières heures. Il consulte rapidement mon dossier, ébloui par le sérieux de ma démarche. Et il ajoute, perplexe :

— Mais je ne vois pas comment je peux t'aider, Lou. Je pense que t'en sais déjà plus que moi.

Je lui réplique franchement :

— En théorie, pas en pratique ! Je me suis dit que tu pourrais être mon mentor de fellation comme t'as été mon mentor de porno.

— Wôôôôôô les moteurs, Lou. T'es cinglée ! C'est vraiment ridicule !

— Quoi ? Tu penses que j'ai pas les capacités ? Tu sauras que je suis une élève exemplaire. Je suis peut-être vierge, mais je suis pas ridicule.

Je suis offusquée par son refus catégorique. Justin doute que j'aie bien réfléchi à mon plan. Qu'il soit mon mentor de la fellation est, selon lui, l'idée la moins bonne que j'ai eue dernièrement :

— T'es en train de développer une relation avec Farid. Tu devrais faire ces choses-là avec lui. Pas avec moi. C'est la chose la plus…

Je l'interromps sur-le-champ, les yeux écarquillés de stupéfaction.

— QUOI ? Tu pensais que je voulais TE faire une pipe ?

Justin me regarde, confus, en ajoutant :

— Ben. Tu viens de dire que tu voulais mettre ça « en pratique ». J'en ai déduit que…

— Ark ! Ark ! Arkeeee ! Je veux trop pas TE faire une pipe. Pourquoi je voudrais faire ça ? Ark. Dégueu.

— J'suis pas si dégueu que ça, quand même…

— Euh… c'est pas ça que je voulais dire… je…

Une énorme boule de malaise vient de s'asseoir entre nous. On se regarde dans la plus grande confusion, en sentant nos visages se ratatiner de honte comme des vieux raisins secs. Tout ce que je voulais, c'était qu'il me donne des trucs dans l'art de la fellation avec genre... un concombre... ou quelque chose du même acabit. Un genre de cours de survie pour être moins dépourvue le moment venu. Rien de plus. SURTOUT, rien de plus. Ark.

Je constate avec ridicule que le combo problème de communication et malaise profond donne le résultat suivant : deux taouins dans un cabanon avec des faces de raisins secs qui ne savent plus où regarder.

Justin éclate de rire. Fort. À s'en déchirer tripes et mâchoires. Son rire se transmet à mes entrailles. J'éclate de rire tout autant sinon plus. Le rire, le meilleur remède aux malaises, peu importe lesquels. Notre hilarité commune dissout notre embarras. Justin se remet de ses émotions et en profite pour s'excuser. Je fais de même. Ma demande n'était clairement pas assez claire.

Justin n'est pas certain de la pertinence d'apprendre à faire une fellation avant l'heure. Mais j'insiste. Comprendre un tant soit peu les choses avant de les essayer me donne confiance et me permet d'apprivoiser mes craintes. D'aller de l'avant. Et j'ai surtout envie d'être au summum de mon savoir-faire avec Farid. J'adopte mon regard petits-yeux-de-chaton-piteux-suppliants pour l'inciter à m'aider. Regard perfectionné dès la plus tendre enfance pour obtenir ce que je voulais (un deuxième bol de crème glacée, quinze minutes de télé supplémentaires, une augmentation de mon allocation). Regard que je sais donc infaillible. Justin, comme tous les autres par le passé, ne peut y résister.

Encore envoûté par mes petits-yeux-de-chaton-piteux-suppliants, il sort et rapplique trois minutes plus tard avec, dans sa main, une boîte de popsicles trois couleurs. Mes préférés. La joie. Le classique popsicle qui, Justin me le confirme, rappelle la forme du membre masculin, mais certainement pas sa température corporelle ou sa texture. Ce dont j'aurais pu me douter, malgré mon inexpérience en la matière. Et cette friandise demeure, sans aucun doute, l'instrument le plus réaliste à utiliser pour un cours de fellation 101.

Je m'empresse de lui demander :

— Tu vas me montrer ?

Justin opine. Je me jette à son cou et lui fais la plus géante accolade de gratitude, avant de lui dérober un popsicle des mains, prête à me mettre à l'action. Il le reprend rapidement, l'air désapprobateur.

— À moi l'honneur ! Observe et apprend.

Justin ouvre le popsicle en débutant la leçon.

— Étape un : s'assurer de la propreté du membre et de son odeur.

Justin regarde le popsicle sous toutes ses coutures, l'air analytique, puis le porte à son nez en le reniflant avant de me le tendre. Je me prête au même jeu, amusée.

— Est-ce que ça sent le vieil égout ? Les algues fermentées ? Le derrière d'un camion de poubelles ?

— Négatif.

— Excellent. Passons donc à l'étape deux : y poser une protection.

— Oh ! Là-dedans, je suis vraiment bonne !

Je suis plus qu'enjouée de saisir le condom que Justin me tend et de l'appliquer avec talent sur le popsicle.

— Je constate que c'est un talent inné, me souligne Justin, impressionné.

— Euh, non. Acquis. Après plusieurs heures de « pratique »…

— Intéressant. Étape trois : nous parlons ici de sexe oral, c'est donc simple comme bonjour, il suffit d'approcher le pénis de la bouche…

Justin place le popsicle dans sa bouche pour mettre en pratique la théorie enseignée et s'assurer que je comprends bien, puis il poursuit, en effectuant des mouvements fluides et rythmés :

— Aape ontini a aire d mounements alll é nenu aaavk ta mousse.

C'est là que je réalise que parler la bouche pleine est le moyen de communication le moins bon pour bien se faire comprendre. Je me fais une note à moi-même : ne jamais entretenir une conversation sérieuse avec un quelconque objet dans la bouche. Pénis, popsicle ou autre.

— — Pardon ? Je ne suis pas sûre d'avoir bien compris.

Justin retire le popsicle et reprend son discours.

— Étape quatre : continuer en faisant des mouvements d'aller-retour avec la bouche. Comme ça.

Justin remet le popsicle dans sa bouche et le fait aller de haut en bas. Il le ressort.

— Le secret, c'est de garder le rythme. Un peu comme une toune que tu chantes dans un karaoké. Tu gardes le *beat* peu importe.

— OK. OK. Fellation, karaoké, même affaire.

— Commencer lentement pour faire languir l'autre. Rajouter de l'excitation avec de douces caresses, des jeux de langue… Et surtout : éviter les dents. Le castor est l'ennemi numéro un d'une fellation réussie.

— OK. Rythme, langue, pas-de-dent… OK.

— Prête à essayer ?

J'opine en ayant encore en tête les nombreuses manœuvres observées jusqu'à maintenant. Justin me tend un autre popsicle que j'ouvre, analyse, sens, protège, avant d'être fin prête pour mon premier essai. Nous sommes face à face, avec nos popsicles respectifs. J'observe Justin et l'imite. La leçon s'effectue avec de nombreuses variations : avec langue, avec *pas-de-langue*, avec *pas-de-dent*, avec main, avec *pas-de-main*. Au bout de six minutes trente secondes à martyriser nos popsicles, on prend une pause, nos bouches aussi frigorifiées qu'un congélateur, nos langues en état de semi-hypothermie et nos mains collantes à souhait.

— Très bien, me complimente Justin. Je pense qu'on peut arrêter là.

— Déjà ? Je commençais à peine à être à l'aise.

— T'as bien assimilé la base. J'pense que tu peux travailler avec ça. Fin de la leçon, conclut Justin.

On se regarde et on éclate de rire à nouveau. On a maintenant l'air de deux taouins enduits de jus de popsicle trois couleurs jusqu'aux coudes. Justin trouve que je lui fais vivre de « juteuses » anecdotes. Le terme est le bon ! Et qu'elles demeureront inoubliables jusqu'à sa mort. Jamais il n'aurait pensé un jour faire une démonstration de la sorte. Il a même pris conscience de l'effort important que le geste exige des mâchoires, et sera d'autant plus indulgent avec ses blondes-à-venir.

Justin me spécifie de ne pas oublier que, comme un *french*, la fellation est un échange mutuel. J'approuve et je seconde. Étant déjà partisane de l'égalité des sexes, je me ferai un devoir de prôner également l'égalité des sexes… oraux. Et que si une pipe est donnée, la juste chose est qu'un cunni soit reçu en retour. Donnant-donnant. Je veillerai à ce que le concept soit respecté. Justin m'avoue que, en tant que nouvelle militante de l'égalité du sexe oral, je risque d'avoir beaucoup de pain sur la planche. Tous les garçons ne seront peut-être pas ouverts spontanément à cet échange égalitaire. Ça ne m'effraie pas et je m'imagine déjà participer à la création d'un monde meilleur où autant de cunnis que de pipes seront donnés et reçus. Ma nouvelle vocation fait rigoler Justin. Blagueuse, je surenchéris et lui demande :

— Parlant de cunnis, as-tu appris à les faire dans un kiwi, toi ?

— Non, m'avoue-t-il en riant. Mais c'est juste parce que je te connaissais pas encore et que t'étais pas là pour me le suggérer…

Je rigole. C'est vrai que je suis pleine d'idées. Pleine d'idées étranges. Si l'étrangeté avait un nom, elle s'appellerait sûrement Lou Lafleur. Et j'en serais honorée.

# JOUR 15

## Mercredi

Les semaines de cinq jours, c'est surfait. C'est surtout beaucoup, mais beaucoup trop long. À qui m'adresser pour corriger cette grave erreur de l'humanité? Le premier ministre? Le Pape? Le président des États-Unis? Le père Noël? Dieu? Les choses doivent évoluer. Je prône la semaine de… maximum deux jours. Bref, la fin de la semaine semble inatteignable, et mon attente est interminable. Amanda a encore le mot juste pour gentiment me signifier de prendre mon trou :

— Ça fait presque seize ans que t'attends. T'es capable d'endurer deux jours de plus, non?

Justement, non. Un, j'ai hâte que cette histoire de défi soit réglée et derrière moi. Deux, j'ai hâte d'être collée-velcro-scotchée-fusionnée avec le beau Farid. Je suis plus exigeante que je le pensais. Tellement exigeante que *frencher* dans les corridors de l'école ne me suffit plus. Pas qu'il *frenche* mal. Bien au contraire. Mais ses *frenchs* attisent mon désir d'une manière que je n'aurais jamais soupçonnée il y a une semaine à peine. Je suis une fusée qui n'en peut plus d'attendre la fin du compte à rebours. Et la fin de semaine est une planète trop éloignée au fin fond de la galaxie.

Mais ma vie n'est pas qu'une longue et interminable attente. Heureusement. Elle est aussi remplie d'opportunités. Par exemple, ce samedi soir, mes parents sortent voir un spectacle d'humour ET mon frère couche chez sa blonde. Ce qui signifie que, ce samedi soir, j'aurai la maison à moi toute seule. Hip, hip, hip, hourra ! La vie m'offre le parfait moment sur un plateau d'argent. Je serais folle de ne pas en profiter. J'ai déjà invité Farid à un souper-Kraft-Dinner-romantique. Beaucoup de plaisirs à venir pour lui et pour moi. Hip, hip, hip, hourra encore !

En attendant, je me ronge les ongles d'impatience pour contenir le mieux possible une énergie sexuelle sur le point d'éclater. Jamais je n'avais ressenti de telles sensations. Chaud et froid à la fois. Piquant et saisissant. À l'intérieur de moi, des sensations fortes font carambolage à longueur de journée. Ça me bouscule de bord en bord. Pour tenir jusqu'à samedi, un miracle serait nécessaire.

Je ne me peux plus d'avoir faim de lui. J'essaie de me contenir en mangeant à la cuillère des quantités industrielles de Nutella. Puisque certaines rumeurs prétendent que les femmes préfèrent le chocolat au sexe. Mais plus les jours passent, plus l'effet réconfortant du Nutella s'amenuise et plus je m'imagine plutôt en train d'enduire le torse de Farid de Nutella et de le lécher. J'en arrive à la conclusion que ce qui doit être encore meilleur que le sexe, c'est le sexe au/ dans/avec du chocolat. À essayer, c'est sûr. Tester d'abord le sexe au naturel. Tester ensuite le sexe dans le Nutella. Le mot sexe revient trop souvent dans ma pensée, au point de m'énerver sans bon sens.

Je décide d'aller retourner le décolleté de la voisine, en ma possession depuis l'épisode infructueux de Sexy Lou. Ou l'art de faire des choses concrètes pour fuir mes pensées et passer le temps du mieux que je peux d'ici samedi. La voisine insiste pour que je garde le décolleté. J'insiste pour qu'elle le reprenne, en lui expliquant la totale inutilité de la chose dans mon univers de jeune adolescente. Elle insiste pour que je le garde. Elle est même plutôt fière de, et je cite : « participer à l'éclosion d'une jeune fille en femme ». Ça lui fait une fleur. Je n'insiste pas, pour éviter de me retrouver dans une obstination sans fin, et je remets le décolleté dans mon sac. Je m'apprête à partir mais j'ai, tout à coup, une brillante idée. La voisine a peut-être un conseil pour m'aider à contrôler mon volcan ardent. Je lui expose mon problème actuel, en faisant attention de ne pas lui révéler trop de détails. La voisine pratique le potinage comme sport national et je ne voudrais surtout pas que ma problématique d'effervescence sexuelle se rende aux oreilles de ma mère. Elle promet de ne rien dire et enchaîne :

— Un seul et unique mot, ma belle : mas-tur-ba-tion. Apprends à connaître tes parties génitales et fais-leur plaisir.

J'absorbe cette information avec l'impression d'avoir encore beaucoup de choses à apprendre. J'avance et, chaque fois, je me retrouve confrontée à de la nouveauté. C'est é-pui-sant. L'univers du sexe n'a aucune limite. Sexe. J'ai encore dit sexe. Merde. Et voilà que je viens de rallumer la flamme « Farid ».

— Masturbation, hein ? dis-je, incertaine de l'utilité de cette suggestion. C'est pas juste les gars qui font ça ?

La voisine éclate de rire devant ma charmante naïveté.

— Ooooh non ! Toi aussi, tu peux. Crois-moi. Et à en juger par la force de tes symptômes, tu devrais t'y mettre. La masturbation est ta clé pour retrouver calme et zénitude jusqu'à la prochaine rencontre avec ton apollon. Qui s'appelle comment, d'ailleurs ?

— Farid.

— Hum… Exotique !

Je dirais même plus : extatique ! Ça y est. La voisine m'a convaincue. Ma curiosité est attisée. Elle parle de la masturbation comme de la cure à tous les maux. Du moins, à tous *mes* maux. Et la voisine est une femme qui, selon toute apparence, a de l'expérience. En tout cas, certainement plus que moi. Alors que je m'apprête à sortir, elle ajoute, en faisant un clin d'œil :

— Le pommeau de douche pourrait devenir ton bon ami.

\*

« Connais-toi toi-même. » Un proverbe fascinant. Quatre petits mots simples. Et qui, bout à bout, provoque une situation peu commune. Moi, au milieu de la salle de bain, nue. Avec, dans une main, le iPad de ma mère affichant un dessin de l'anatomie féminine. Avec, dans l'autre main, un miroir explorant avec minutie mes propres parties génitales et cherchant, à travers cette abondance de lèvres et de chairs, mon clitoris. Ou pour être plus précise et selon la brève définition de Wikipédia : l'organe le plus sensible de tout mon corps humain et contenant plus de 8 000 terminaisons nerveuses. Huit mille terminaisons nerveuses… Qu'est-ce que ça donne, 8 000 terminaisons nerveuses dans un organe aussi gros qu'un bouton de marguerite ? Aucune idée. Je suis frappée par ma méconnaissance des mœurs et coutumes du clitoris, et j'en veux un peu-beaucoup à ma prof de biologie d'être passée de manière si rapide et si peu enthousiasmante sur cette matière capitale. Je me sens comme une extraterrestre parachutée sur Terre. Tout est à découvrir. C'est fascinant et… épeurant.

Je mets de côté iPad et miroir, ayant à peu près réussi à situer chacun de mes territoires génitaux. Je me tourne vers la douche. La démarre. Je regarde le pommeau de douche. Il me regarde. Je le regarde. Il me regarde. On se regarde comme dans un vieux western. « Je me demande bien comment tu peux m'être utile, mon ami », lui dis-je en me glissant sous lui. Pommeau de douche et clitoris. Je n'ai aucune idée de ce que ça donne. J'ajuste la température de l'eau. Pas trop froide. Pas trop chaude. Pour ne surtout pas calciner ma nouvelle découverte interne. Je regarde le pommeau de douche. Il me regarde. Je le regarde. Je le prends entre mes mains. Le dirige en direction de mes 8 000 terminaisons nerveuses.

La sensation est agréable. Semblable à un léger massage. Douce vibration. J'aime. J'augmente la puissance du jet. L'expérience n'est pas du tout inintéressante. Tout le contraire. Mon corps s'allume. Il me dit : « Oh ! Belle découverte ! » J'ambitionne. J'augmente encore la force du jet. Je le promène de haut en bas, le tourne, le *twiste*. C'est bon. Ce n'est pas juste bon. C'est vraiment bon. Différent. Surprenant. Intense. Avec un goût de revenez-y.

OH MON DIEU !

Une tension intense et magnifique me traverse de part en part. Plus. Encore. Plus. J'ai envie de hurler. De crier. Je me retiens pour ne pas alerter toute la famille… et la planète entière. Je ne comprends plus rien, mais…

OH MON DIEUUUUUUUUUUU !

C'est électrique. Mes 8 000 terminaisons nerveuses pètent les plombs. La définition du mot jouissance prend enfin tout son sens. Je me mords ardemment la bouche pour empêcher les cris de sortir. Je saisis fermement le rideau de douche et tire dessus pour m'aider à canaliser les 8 000 sensations ressenties.

WOOAAAAAAAAAAAAAAAAAAA !

Prise sur la planète du bonheur extatique, je n'en peux plus. À défaut de hurler férocement, je tire comme une forcenée sur le rideau, l'arrachant avec éclat et provoquant ma chute dans la baignoire. Le pommeau de douche se dérobe de mes mains et s'emballe dans la salle de bain comme un serpent fou, mouillant plancher, plafond et murs.

WOOOAAAAAAAAAAA !

Je me précipite sur les robinets. Les tourne pour mettre fin à cette initiation et à cette abondante inondation. Je me laisse choir dans la baignoire. Me remets de mes émotions, sourire béat aux lèvres. Wow ! Wow ! Wow ! Triple wow ! Tout un feeling. Est-ce que c'est comme ça chaque fois ? Vraiment ? Toutes les femmes à travers le monde arrivent à ressentir ça ?

Vraiment ? Et on ne nous en informe pas plus tôt ?
Vraiment ? C'est décidé ! Un jour, je me promets
de devenir une sage représentante de la démystifica-
tion de l'orgasme. Mais pas tout de suite. D'abord,
l'apprivoiser plus et mieux. Ensuite, en devenir la
porte-parole officielle. Ce n'est qu'un début !

Calme et zénitude s'installent. Jusqu'à ce que
j'entende cogner derrière la porte.

— Lou, ça va ?

Ma mère. Je me lève en sursaut et constate
l'étendue d'eau autour de la baignoire. Un lac. Tout
autour du bain. Beaucoup d'eau à absorber avant de
pouvoir ouvrir la porte.

— Oui, oui. Ça va super bien. Je suis tombée dans
la baignoire.

— T'es correcte ?

— Oui, oui. Tout est OK, m'man.

Tout est OK. Tout est mouillé. Je suis mouillée.
Du dedans comme du dehors. Mais tout est vraiment
OK. Ça n'a jamais été autant OK que maintenant.

# JOUR 18

## Samedi

Jour glorieux. Jour béni. Jour incroyable. Samedi. Enfin samedi ! Il est arrivé. J'y croyais. J'y ai toujours cru. Que samedi allait arriver. Mais de le voir là, au matin d'un soleil ardent, à l'aube de tous les possibles... j'en suis émue à presque en pleurer des larmes de bonheur. Étendue dans mes draps épars, j'ai un mal de mâchoires incessant tellement je n'en peux plus de sourire. C'est aujourd'hui le début de ma nouvelle vie. Où tout va changer. Je ne serai plus une exclue du sexe. Ce soir, tout arrive enfin.

Je me réveille avec une main sur mon sexe. Je me retiens d'actionner mon rotoculteur-d'index pour labourer mes champs du désir. Depuis l'épisode

« mon pommeau de douche est mon ami », mon exploration s'est poursuivie, mais de façon plus… délicate. Depuis, je perfectionne l'art de l'autosatisfaction manuelle dans mon lit. Ce qui m'évitera certainement de développer des compétences aiguës en nettoyage de plancher de salle de bain. À la place, je renforcis mon doigté et les muscles de mes poignets, quitte à développer une tendinite. Je m'en fous. Le plaisir obtenu surpasse toutes les douleurs musculaires. Main droite ou main gauche. Index, pouce ou auriculaire. Rythme lent ou rythme rapide. Je découvre mes préférences. Mais ce matin, j'hésite à faire jaillir ces pulsions. J'ai plutôt envie de les conserver pour ce soir. Le grand soir. Le soir béni. Je retire ma main, décidant de préserver mon désir aussi chaud que des charbons ardents pour une soirée qui s'annonce olé. *Ay, ay, ay, caramba !* Ça s'annonce chaud, chaud, chaud !

Je me lève vite. M'habille vite. Déjeune vite. Quitte la maison vite. Entre dans l'action vite. Pour cesser de ressasser toutes les situations possibles de ce soir. Me concentrer sur le moment présent. Maintenant. Mais le moment présent est siiiiii lent. Vite ! Direction : les magasins avec Amanda pour acheter le *kit* d'une première fois romantico-romantique.

Cette première fois-là doit être un peu-beaucoup spéciale. Puisque ce n'est pas toutes les fois qu'on vit des premières fois, il est important de les souligner en grand quand elles arrivent. Pas question que mes premières fois manquent le train. Elles seront inoubliables à jamais. Jolies chandelles, fleurs odorantes, bouteille de grand cru de kombucha et sous-vêtements en dentelle. Amanda m'accompagne dans mes achats. Elle trouve que j'en fais un peu trop et que ce superflu n'est pas nécessaire. Moi, je veux que ce soit idyllique. Mémorable. Amanda souligne que peu importe la quantité de pétales de roses sur le plancher ou le diadème en diamants porté, le moment, de toute manière, sera à jamais ancré dans ma mémoire, puisqu'il s'agit d'une première fois. Et que cette première fois-là, on s'en souvient à tout jamais. Peu importe les circonstances.

Je rigole :

— À t'entendre parler, on dirait que t'as fait ça dans de la bouse de vache.

Amanda baisse les yeux en rougissant. Ce n'est pas du tout dans ses habitudes, ce qui me laisse croire que je ne suis pas loin de la vérité. C'est peut-être le moment idéal pour lui tirer les vers du nez sur sa première fois à elle, qui titille encore ma curiosité

mais qu'elle ne veut toujours pas me révéler.
Je réitère, avec un intérêt grandissant :

— T'as fait ça dans de la bouse de vache ?

— C'était pas de la bouse de vache, c'était sur une
meule de foin dans une grange, rectifie-t-elle avec
assurance.

— Mais avec des vaches pas loin ?

— On était à la campagne !

C'est sûr que sa première fois a dû être
mémorable ! Avec des brins de blé qui lui rentraient
dans le derrière. Je blague en lui disant qu'il n'y
a peut-être jamais eu pénétration d'un pénis et que
sa soi-disant première fois a été avec un énorme brin
de blé ou, mieux, avec un épi de maïs. Amanda rit
jaune. Moi, je me trouve très drôle. Elle m'assure
que pénétration il y a eue et pas par un petit brin, mais
par une bonne brindille. Constatant qu'elle s'est un
peu trop étendue sur ce moment d'intimité qu'elle
préfère garder secret, Amanda ramène, avec peu
de subtilité, la discussion sur moi, en s'étonnant de
m'entendre dire « pénétration » et « pénis » dans une
phrase complète, sans rougir ou m'esclaffer. Fière,
je bombe le torse. Tous les signes laissent croire que
j'évolue vite dans mon processus de sexualisation.

— Condoms ?

Comme si elle jouait le rôle d'une mère avisée, Amanda veut s'assurer qu'il m'en reste et que je ne les ai pas tous utilisés sur des bananes ou des poupées Ken. Je confirme être assez équipée pour faire l'amour à toute une équipe de soccer. Ce qu'Amanda me déconseille fortement.

Bien greyée avec mon *kit* romantique, je suis prête à retourner à la maison. Deux heures à peine me séparent de l'arrivée de mon prince charmant. Le temps de faire croire à mes parents qu'ils peuvent laisser la maison à leur fille responsable et le temps de transformer les lieux en temple majestueux de l'amour et du sexe avec un grand A et un grand S. Émue de me voir partir fière et heureuse vers cette aventure de l'intimité ultime, Amanda me souhaite bonne chance, en me rappelant de ne pas oublier de respirer profondément. Parce que c'est peut-être très excitant, mais ça demeure très stressant.

Les parents sont partis, le frérot a déguerpi, le Kraft Dinner cuit, les fleurs embaument ma chambre, les bougies s'enflamment. Tout comme mon cœur. La fébrilité est au rendez-vous. Mon bien-aimé ne devrait pas tarder. Ouf! Respire. Respire. Respire. La sonnette retentit, faisant résonner en moi mille cloches aux sons merveilleux. J'ouvre la porte.

Sur le paillasson se tient l'incroyable Farid, plus beau que jamais dans une chemise rayée bleu et blanc, avec le col ouvert juste assez pour laisser entrevoir une parcelle de la peau de son *chest*. Juste comme j'aime. Je salive. Mais je ravale vite pour ne pas baver d'excitation sur sa jolie chemise. Farid m'enlace. Je l'enlace à mon tour. On s'échange le *french* le plus senti et le plus beau de l'univers. C'est bon d'être ensemble. C'est tellement bon d'être ensemble. J'imagine déjà ce que ça va être tout à l'heure. Ça risque d'être encore meilleur. Je prends Farid par la main et lui fais visiter la maison en mode express, en finissant par ma chambre, où fleurs et bougies se font compétition. Farid semble impressionné :

— Ta chambre est toujours aménagée comme ça ?

Je lui avoue que j'ai fait un spécial Farid. Je l'invite à s'asseoir sur mon lit et à m'attendre pour donner suite à la soirée. Je dévale les escaliers. Entre dans la cuisine. Pose notre souper sur un plateau d'argent. *Chic and swell.* Je m'empresse de retourner auprès de mon roi pour mon concept de souper-romance au lit. Farid est surpris par la mise en scène. Je me dis que c'est trop. Peut-être. Mais j'ai envie que ce soit comme ça.

— On fête quelque chose ? me demande-t-il.

— On fête la vie ! Parce qu'elle est jolie. Comme toi.

Farid sourit. Ce garçon me fait prononcer des phrases bonbon qui me rendent plus quétaine que jamais. Je l'assume. C'est bon. Dans ma tête, j'ajoute : « On fête l'amour et le sexe, aussi. » Mais ça, je ne le lui dis pas tout de suite. Pour laisser la chance au temps de faire son travail. Même si je sais que ça arrivera dans pas très longtemps. Parce que je le veux et que je le souhaite.

Nous savourons mon exquis Kraft Dinner en pique-nique sur l'édredon. Face à face, nous nous offrons des bouchées de nos fourchettes respectives, comme on voit dans les plus beaux films. Ce qui est plutôt drôle, puisqu'elles ont toutes ce goût de salé-faux-fromage-mais-quand-même-menoum-menoum. On s'amuse à s'inventer des bouchées de caviar de baleine bleue, de trompe d'éléphant confite et de colibri dans son coulis de fraise. Plus on mange, plus on invente des saveurs absurdes qui nous dégoûtent, ce qui nous incite à mettre nos plats de côté pour se savourer l'un l'autre. Ce qui est bien meilleur que n'importe quel Kraft Dinner au colibri-baleine-ouistiti-scarabée.

On s'embrasse et on s'effleure. On s'embrasse et on se touche. On s'embrasse et on se prend. Sensuel, suave et *sweet* à souhait. L'échelle d'excitation est à son paroxysme. La tension est si élevée. J'ai la sensation que l'air ambiant de ma chambre augmente de mille degrés Celsius à chaque seconde. Tout à coup, je sens quelque chose. De dur. Probablement le sexe de Farid. Soit ça, soit il boit la bouteille de kombucha par le nombril. Je penche pour l'option un, plus réaliste.

J'ai peur. Je ne sais pas pourquoi. Sûrement parce que c'est l'inconnu. Depuis que je suis toute petite, on me répète inlassablement : « Ne parle pas aux inconnus. » Mon inconscient a dû assimiler que l'inconnu est dangereux, effrayant. J'essaie de rationaliser. Farid n'est pas un inconnu. Je le connais. Je lui fais confiance. C'est la situation qui l'est. Elle me sort de tout ce que je connais. M'impose de l'inconfort. Mais il faut apprendre à frayer avec l'inconnu pour qu'il devienne connu un jour. Sinon, il restera inconnu pour toujours. Et tout aussi effrayant. Beaucoup de pensées épeurantes se heurtent. Je les freine. Je leur dis : « Allez jouer ailleurs ! » Mes peurs ne sont fondées sur rien. J'ai envie de les mettre dans une casserole, de les faire bouillir, de les manger pour qu'elles n'existent plus.

Tranquillement, je m'abandonne à l'inconnu qui m'effleure. À cette chose dure que je n'ai pas encore apprivoisée, mais avec qui j'ai très envie de faire connaissance. Je m'invente un scénario simple avec des présentations officielles : « Bonjour ! Moi, c'est pénis. Enchanté. — Bonjour ! Moi, c'est Lou. Très heureuse de vous rencontrer. » Si seulement c'était aussi facile ! Je respire. Je respire. Je respire.

Je bloque la soudaine panique en pensant à autre chose. Aux propos de Justin qui me racontait récemment comment il avait été initié à la sexualité par son père boulanger à l'aide de baguettes, miches, brioches et bagels. Son éducation sexuelle s'est faite de manière visuelle avec ces drôles d'outils. Le père de Justin affirme que ce n'est pas pour rien que plusieurs pains et pâtisseries ressemblent à des pénis, des seins et des fesses. C'est volontaire, justement pour rendre le produit alléchant et irrésistible à quiconque entre dans la boulangerie. Un client ne ressort jamais les mains vides. Étrange théorie. Je rigole en pensant à tout cela, et ça me détend. Tandis que Farid frôle mon bassin, je pense à un pain baguette sorti tout droit du four. Un pain baguette chaud, dur, long, droit. Un pain baguette fort appétissant, que je savourerais volontiers. Mon appétit s'ouvre et éloigne la peur de mes tripes. Enfin. Moi non plus, je ne ressortirai pas les mains vides.

Tout à coup, je sens un grand froid. Farid s'est décollé brusquement. Je me retourne. Il est assis au coin du lit avec un air bizarre.

— Il faut que je te dise quelque chose.

La voix de Farid est grave et tremblante, laissant présager que ce qu'il veut me dire, ce n'est pas « Je t'aime » haut et fort. Je m'assois à ses côtés. La température vient de chuter de manière drastique. Entre nous, c'est devenu glacial comme l'hiver au pôle Nord. Il m'annonce, la gorge nouée, qu'il déménage à nouveau. C'est moi maintenant qui me sens étouffée. Je ne comprends rien. Il vient à peine d'arriver et il doit repartir ? Il m'explique. Son père vient de trouver l'emploi idéal. Une opportunité exceptionnelle. Surtout dans leur situation. Je dédramatise en me disant que ce n'est pas grave. Il n'y a rien de nouveau dans les amours à distance. À notre époque, c'est très à la mode. Je n'aurai jamais été aussi tendance. Nous nous verrons les fins de semaine et penserons fort l'un à l'autre la semaine. Farid poursuit. Ils déménagent à…

Vancouver. À l'autre bout de notre immense pays. Nooooooooooooooooooooon ! C'est non !

Je refuse. Je refuse systématiquement d'être Canadienne. Tout à coup, je veux être Belge. Si j'étais Belge et que Farid déménageait à l'autre bout du pays, ça nous prendrait trois petites heures de train pour nous voir. Mais Vancouver... c'est au moins trois jours de train. Et implique de dépenser un budget monstre. Budget que je n'ai pas. Et l'impossibilité certaine de se voir toutes les fins de semaine. Cette situation est insensée.

— Je crois que j'étais en train de tomber amoureuse.

— Je sais. Moi aussi...

D'un commun accord, nous nous avouons qu'il est plus raisonnable d'arrêter là. D'arrêter tout ça là. Alors que j'avais trouvé l'amour et que j'allais, enfin, faire l'amour. La chute est épouvantable. J'en veux terriblement à la raison. J'en veux terriblement au père de Farid de s'être trouvé un emploi à l'autre bout du pays. J'en veux terriblement à mes parents de ne pas habiter en Belgique. J'en veux à l'univers entier. Je m'en veux. D'être tombée si facilement dans le piège de l'amour avec un grand A, ridicule et con. Je pose ma tête sur l'épaule de Farid. Nos mains se serrent fort, tremblantes et vibrantes. Un silence mortuaire emplit ma chambre. Cette soirée ne prend pas la tournure désirée. Je suis déchirée. Tomber amoureuse d'un garçon qui déménagera à l'autre bout du pays était loin d'être souhaitable dans l'accomplissement de mon défi. Misère !

Je me dis que cette soirée pourrait prendre des allures d'au revoir déchirant. Comme la femme qui passe une dernière nuit avec son mari avant qu'il ne parte à la guerre. Comme dans le plus épique des films romantiques. Profiter de ce dernier moment ensemble. Mon corps voudrait ne faire qu'un avec lui. Le posséder à tout jamais. Mais pas pour une seule nuit. La déchirure risque d'être encore plus forte. Trop forte. Mon petit cœur n'a ni le courage ni l'envie d'aller plus loin.

Entre deux sanglots qui jaillissent et d'interminables étreintes dans les bras de Farid, je me dis que je ressortirai de ce lit les mains aussi vides que le cœur. Et j'en veux terriblement à la vie de ne pas faire les choses comme je le veux.

# JOUR 19

## Dimanche

De mon corps s'échappent les chutes du Niagara qui rencontrent les chutes d'Iguazú qui rencontrent les chutes de Kaieteur. Je suis une pluie torrentielle sans fin. Une inondation printanière. En résumé, je braille ma vie depuis bientôt douze heures en ligne et des poussières. L'expression fréquemment utilisée par ma grand-mère me revient : « Braille, tu pisseras moins. » Si cette formule s'avère exacte, je ne pisserai plus jusqu'à ma mort, c'est certain. Je ne bouge plus de mon lit. J'y suis sclérosée. Je suis une loque. Je suis une larve. Je suis pleine d'une peine d'amour.

Refusant de me lever de mon temple du chagrin, j'en suis rendue à avaler ma propre morve. En position de fœtus catatonique, je fais vœu de devenir ermite sur mon matelas. Ne plus sortir d'ici. Je veux rester à jamais enfouie sous les couvertures, là où ça fait le moins mal d'être. Parce que quand je pense à Farid, quand je pense à l'amour, quand je pense au sexe, quand je pense à mon défi, quand je pense à ma vie, présentement, ça fait mal. Ça fait mal plus que tout. Douleur énorme. Infinie.

Amanda, Olive et Élisa se relayent à mon chevet pour m'apporter tout le réconfort dont elles croient que j'ai besoin. Amanda me donne des cuillères géantes de crème glacée au sucre d'érable givré en me disant :

— Ça va aller. C'est passager. C'est juste une tempête. Ça dure pas, les tempêtes.

Je l'entends plus ou moins, trop prise à flageller la partie sombre et noire de mon esprit. Élisa est plus proactive. Elle se fait un devoir de me manucurer, de me pédicurer et de me coiffer d'un chignon-tresse-française qui me donne des allures de demoiselle d'honneur.

— C'est pas parce que ton intérieur a des apparences d'égouts qu'il faut que ça paraisse à l'extérieur. L'un influence l'autre, et vice-versa.

Olive s'amène avec un énorme sac de jujubes variés et une phrase qui ressemble plus au début d'un refrain d'un chanteur de hip-hop *wannabe*.

— C'pas *blood*. C'est *sketch* en maudit.

Je ne savais pas que *blood* et *sketch* pouvaient être utilisés ensemble. Je ne suis toujours pas sûre que c'est possible. Mais venant d'Olive, ça ne peut être rempli que de bonnes intentions. Entre une tresse et un jujube avalé, je reçois aussi de multiples textos de Farid, qui cherche à me consoler de son mieux en m'écrivant des « On va rester amis », des « On va se retrouver un jour », des « Ça va, t'es OK ? ». Des mots pour me faire brailler. Encore.

Au bout de dix-huit heures, ma tristesse est toujours aussi élevée, mais elle compétitionne férocement avec mon taux de sucre. Ce qui allume une alarme pour le futur : interdiction de vivre un trop-plein de peines d'amour afin d'éviter un surplus de poids ou un diabète de type 2. Mon père se joint aux forces des filles pour m'apporter son réconfort. Il est, de prime abord, étonné.

— T'es en peine d'amour ? Je ne savais pas que t'étais en amour. Il faut que tu me dises ces choses-là, ma pichenotte.

S'il fallait que je dise tout ce que je ne dis pas à mes parents, ça me prendrait une vie supplémentaire. Ce qui est probablement aussi dû au fait qu'il m'appelle « ma pichenotte » et m'imagine encore en train de jouer à la corde à danser dans un champ de tournesols. S'il savait tout ce que j'ai fait dans les derniers jours, il serait lui aussi en position fœtale, à mes côtés, dans mon lit. Il réaliserait que je ne suis plus la petite fille que j'ai déjà été. À la place, il préfère me consoler en m'apportant sa fameuse et délicieuse soupe aux légumes, sans trop poser de questions. Ce qui est une bonne chose. Je n'ai pas envie de raconter le début d'une histoire qui a fini avant d'avoir commencé. La soupe de mon père est un réconfort ultime qui empêche le pays de la tristesse de prendre possession de mon être tout entier.

La tête dans le cul, je me dis que c'est pas toujours le pied de grandir. Je n'aurais jamais pensé qu'il pouvait y avoir dans le monde des choses qui fassent aussi mal. Comment les gens font pour passer à travers ça ? En même temps, les gens passent à travers bien pire. Je me demande ce qui est plus douloureux :

une peine d'amour ou se faire sectionner une jambe par un dix-huit roues ? Une peine d'amour ou se faire brûler le cuir chevelu au troisième degré ? Une peine d'amour ou se couper un doigt avec une scie à chaîne ? Réponses faciles : peine d'amour, peine d'amour, peine d'amour. Quoique le jour où je me ferai sectionner la jambe par un dix-huit roues, brûler la tête au troisième degré et couper le doigt par une scie à chaîne, j'opterai peut-être pour un autre choix. Et ce jour-là sera le jour le plus malchanceux de mon existence. Pour l'instant, ma réponse demeure « peine d'amour ».

C'était plus facile avant. Avant que tout cela commence. À l'époque où mon seul souci était de décider si j'habillais ma pouliche en crinoline ou en bikini. Avant de m'intéresser aux garçons, au sexe, à l'amour. C'était vraiment plus facile avant. Ça y est. Je radote comme ma grand-mère. « C'était plus facile quand il n'y avait pas de télé. Les jeunes nous aidaient plus. Ils étaient plus en santé. C'était plus facile quand il n'y avait pas Internet. On s'entraidait plus entre nous. » Et blablabla. Ma grand-mère, qui en a vu beaucoup mais qui n'a jamais vécu de peine d'amour parce qu'elle est depuis cinquante-cinq ans avec mon grand-père. Incroyable. En tout cas, elle n'est passée à côté de rien. Elle a bien fait, ma grand-mère. Elle est plus futée que moi, ma grand-mère. Parce qu'une peine d'amour, ce n'est pas une expérience de vie si intéressante. Je braille. Je morve. Je sanglote. Je crie. Je pue. C'est pathétique.

Je suis pathétique.

# JOUR 22

## Mercredi

J'erre au ralenti dans les corridors de l'école, un large capuchon sur ma tête baissée servant à camoufler mes yeux rougis-bouffis par les pleurs. Je dois aller à l'école. « Ça va te changer les idées. C'est bon pour toi », répète inlassablement ma mère. Ça ne me change pas du tout les idées. C'est la pire des tortures, parce que Farid est encore là. Sa présence me rappelle que, bientôt, il brillera par son absence. La déprime absolue.

On continue à se sourire, à se parler. Sans s'embrasser. Sans se tenir les mains. C'est si pénible. Dépassée par la situation, j'entre en zone passive. Pour m'éviter tout sentiment, toute émotion supplémentaire. Je ne suis plus la Lou que l'on connaît. J'aurais besoin qu'on m'injecte en doses massives dans les veines un soluté de bonheur. J'ai cherché sur Internet. Ça n'existe pas. On suggère plutôt de manger du chocolat. Encore. Comme si c'était la solution à toutes les crises. Mais rien ne fait plus. Rien n'est suffisant.

Le défi Lou est loin au fond de mes *baskets*. Cette idée était stupide et conne. J'ai provoqué le destin et, en échange, je reçois un manche de pelle en pleine figure. Je n'en méritais pas tant. Vraiment. J'envoie paître le destin. J'envoie paître tous ceux et celles qui me regardent avec des yeux compatissants. J'envoie paître le monde en entier. La vie, c'est de la marde ; Lisa Leblanc avait raison dans sa chanson. Amanda a arrêté de me dire quoi que ce soit. Elle comprend qu'aucune parole n'est assez puissante pour déloger l'amertume et la colère qui prennent mon cœur en otage. À la place, elle opte pour les câlins. Chaque fois qu'elle me voit, elle me prend dans ses bras. Me serre fort. Élisa et Olive s'y mettent aussi. Ensemble, elles me font des pièges à câlins collectifs au milieu des toilettes, à l'entrée de la classe de maths, dans la file d'attente de la cafétéria. Des rations de tendresse en quantité massive pour contrer la peine d'amour.

L'effet escompté n'est pas au rendez-vous. J'affiche toujours un regard tristounet, une position de corps arquée et primitive, une moue dépressive. Amanda mise sur le long terme. Certaine que personne ne peut rester indifférent à l'amour inconditionnel de l'amitié, elle est persuadée de voir un arc-en-ciel éclore dans mes pupilles dans pas trop longtemps. Moi, je doute. J'ai l'impression que je vais avoir un *feeling* en noir et blanc pour encore trop longtemps.

*

C'est la fin de la journée. Je m'apprête à rentrer chez moi en mode mollesse. Mon mode à la mode des derniers jours. Farid m'arrête à la sortie de l'école :

— Ça y est.

En le voyant, j'ai les larmes qui me montent spontanément aux yeux.

Il poursuit :

— Ça y est, je pars.

Déjà. Il part déjà. Je n'en reviens juste pas. Tout a été trop vite. Tout va trop vite. Il me regarde avec ses yeux doux et profonds, attendant de moi je-ne-sais-pas-quoi. Mais je n'ai plus la force ni le courage de faire quoi que ce soit. Comme si Amanda lui avait passé le mot que la calinothérapie était le meilleur des remèdes, Farid m'enlace. Il me serre fort. Très fort. Mais pas trop fort. Son étreinte est remplie d'amour. Je le sens. Nos cœurs battent la chamade, plaqués l'un sur l'autre. Il me serre comme si c'était la dernière fois qu'il me serrait. Parce que c'est la dernière fois, justement. Je m'abandonne. Me laisse aller en versant des larmes salées qui coulent dans son dos. Ce moment dure une éternité. Mais une éternité qui, au final, a une fin.

On se *frenche* une dernière fois. C'est beau, un dernier *french*. C'est émouvant. C'est la première fois que ça m'arrive, un dernier *french*. Une première fois que je n'ai pas préparée à l'avance, mais qui restera ancrée dans ma tête et dans mon corps. Ce n'est pas juste une émotion définissable, un dernier *french*. C'est plein d'émotions indéfinissables. Les mots n'ont plus de sens, alors on ne se dit rien. On vit ce qu'il y a à vivre. Avec toutes les émotions indéfinissables que ça représente.

Au bout d'un temps infini, on finit par se défaire. Par ne plus s'enlacer. Par ne plus s'embrasser. On se regarde. Les yeux pleins d'eau, prêts à remplir généreusement tous les puits d'un village africain. Farid soupire longuement avant d'esquisser un léger sourire et de partir. Je l'observe s'éloigner. Mon cœur bat encore la chamade. Je me dis que tout ça, c'est beau et laid à la fois.

C'est la fin de la journée.

C'est la fin de tout. La fin du monde. La fin du « nous ».

# JOUR 28

## Mardi

Une semaine que je suis un ours grognon, celui sorti de son hibernation par un violent tremblement de terre et incapable de se rendormir. Mon humeur est égale à chaque heure : morne. Si je travaillais dans un salon funéraire, on me confondrait perpétuellement avec les morts. C'est d'ailleurs comme ça que je me sens : morte. Mais en vie.

Assise devant le micro pour débuter mon émission de radio, je n'en reviens pas d'être là. J'avais pourtant très envie d'annuler, comme la semaine dernière. Mon prof de théâtre a refusé de manière catégorique :

— Sers-toi de que ce que tu as dans les tripes pour faire l'émission la plus émouvante qui soit. Sers-t'en comme d'un exutoire.

Je l'ai écouté en étant sûre qu'il devait avoir raison, qu'il était plus vieux, plus expérimenté. Mais je fixe le micro en n'ayant pas le goût de raconter quoi que ce soit. En n'ayant pas le goût de vider mon sac émotif à mes camarades d'école. Je décide de faire une émission où je ne dirai pas un seul mot. Et où je laisserai des professionnels en la matière prendre la parole pour moi. Pendant une heure, les tounes les plus dépressives, *trashs* et nostalgiques se suivent à la queue leu leu. Désormais, appelez-moi DJ Mélancolie. À la fin, toute l'école est démoralisée. Peut-être plus que moi. L'émission se termine. Mon prof de théâtre entre dans le studio. J'ai la nette impression qu'il va me passer un savon pour la diffusion de cette émission pro-suicide. Il n'en fait rien. Il est trop fin et compréhensif.

— Si c'est ça que t'avais besoin d'exprimer, c'est parfait que tu l'aies fait. Est-ce que ça t'a fait du bien ?

Est-ce que ça m'a fait du bien ? Peut-être. Oui. Non. Je ne le sais plus. Je ne le sais plus du tout, ce qui me fait du bien.

*

Je décide de rentrer à la maison à pied pour réécouter mon *mix* déprimant. J'aime renfoncer le fer dans la plaie. Je suis rendue à mi-chemin lorsque Justin, en vélo, s'arrête à mes côtés et m'accompagne. On marche. On marche. On marche. Je lui saoule les oreilles avec mes sentiments du moment. Brusquement, Justin s'arrête et me lance un puissant :

Ça va faire, Lou !

Ahurie, je le regarde.

— Ça va faire de t'apitoyer sur ton sort, de brailler ta vie et de déprimer la galaxie entière avec ça. Est-ce que tu vas pleurer Farid jusqu'à ta mort ? Vous avez été ensemble, genre quoi, une semaine ?

Six jours, vingt heures, quarante-deux minutes et trente-six secondes, pour être plus exacte. Rien pour en faire tout un plat, selon Justin.

Justin me parle dans le casque comme personne ne m'a jamais parlé dans le casque. Il me dit que j'ai le droit d'avoir des émotions et de les vivre. Mais qu'il faudrait bientôt que je *switche* la *switch* de bord. Pour ne pas que ma peine d'amour dure cent fois plus longtemps que ce que mon amour a duré.

155

— Y a plein de choses bien plus belles à vivre qu'une peine d'amour, crois-moi. Déguédine, pis vis-les, Lou Lafleur !

Justin me brusque. Me chamboule. Nous arrivons devant nos maisons respectives. Il me fait une longue accolade avant de rentrer chez lui, me laissant seule sur le paillasson avec une série de nouvelles émotions qui m'assaillent d'un coup. Ses propos rentre-dedans cheminent en moi. Il a raison. Je pense qu'il a raison. J'en suis de plus en plus sûre, il a raison. Je dois ranimer mes étincelles et les faire exploser comme d'énormes pétards. C'est ce que je suis. Ce que j'aime être.

Je monte de manière précipitée à ma chambre. De ma poubelle, je sors le calendrier jeté pendant ma crise existentielle des derniers jours. Justin a tellement raison. Je ne vais pas arrêter de vivre. Ce serait vraiment prématuré, à mon âge. Et s'il y a une chose que Lou Lafleur n'est pas, c'est une dégonflée. Ma balloune s'est ramollie dans les derniers jours, mais tout ce qui est mou peut se rendurcir. Cette vérité s'est aussi appliquée au membre de Farid il n'y a pas si longtemps. Je consulte mon calendrier. Il me reste du temps. Plein de temps. Pour me concentrer sur mon objectif primordial, celui qui fera de moi la reine des anti-retardés-sexuels. Les paroles de Justin ont été efficaces. Je suis pompée à bloc. J'avais, au départ, un plan simple et prometteur. Je ne dois pas m'en écarter. Ce n'est pas un obstacle qui va m'arrêter. Les obstacles, je peux les escalader, les sauter ou les contourner. Me recentrer sur mes priorités et continuer à foncer, voilà ce que je dois faire. Céline Galipeau ne se décourage pas quand elle n'obtient pas ce qu'elle veut de ses sujets, j'en suis persuadée. Elle poursuit l'enquête. Pose les questions différemment. N'abandonne pas. Lou Lafleur non plus n'abandonne pas. Pour avoir le sentiment du devoir accompli, je dois aller au bout de ce que j'ai amorcé.

Je réépingle avec vigueur mon calendrier au mur. Motivée, cette fois-ci, à m'y prendre autrement. Avec l'interdiction formelle de tomber amoureuse. Pas d'attachement. Rien. Pour rendre les choses plus faciles. Préserver ses émotions en se concentrant sur la technique. Uniquement la technique. Bref, ne pas faire la même erreur deux fois. Ce qui est bien avec la vie, c'est que plus on essaie, plus on apprend. Se casser la gueule une première fois permet de faire plus attention la deuxième fois. Leçon retenue. Le défi Lou est de retour. Cette fois-ci, j'en ai la certitude, ça va filer droit et en douceur. Je vais m'assurer que ça file droit et en douceur.

# JOUR 31

## Vendredi

Toutes et tous ont été stupéfaits à en tomber sur le derrière de mon changement de cap de morose à surmotivée. Le mercredi, d'un coup, la Lou de toujours était revenue. Clic! Clac! En un claquement de doigts. Amanda s'est même demandé si la Lou des derniers jours n'avait pas été enlevée par des extra-terrestres. Au contraire, la vraie Lou a plutôt décidé de remettre les deux pieds sur Terre. Amanda est heureuse de ma réinsertion dans le monde normal. Justin, fier du résultat engendré par son discours, se promène presque avec une couronne de laurier sur la tête et répète beaucoup trop souvent, en se pétant les bretelles-qu'il-n'a-pas, que c'est grâce à lui tout ça.

Je dois lui accorder, il a en partie raison. Mais pas sur toute la ligne. Je me plais à lui rappeler que j'ai aussi une petite part à jouer dans le processus. C'est moi qui ai décidé de réactiver les rouages de ma motivation et de ma bonne humeur. Justin a aidé à les huiler. C'est tout.

Depuis mercredi, c'est comme si rien ne s'était passé. Farid est encore dans mes pensées. Mais j'ai décidé de ne conserver en mémoire que le bon et le beau. De ne plus m'attarder au reste. « Sage », confirme Amanda. Très sage. L'âge de la maturité est à mes pieds et je commence à m'y chausser. Depuis mercredi, j'ai aussi mené une subtile enquête pour trouver un nouveau candidat potentiel et expérimenté. J'ai fait croire que j'animais une émission de radio sur la sexualité et j'ai distribué des questionnaires à plusieurs gars pour connaître leurs habitudes sexuelles, tout cela dans le plus grand anonymat. J'en suis arrivée à colliger de nombreuses données autour de la vie sexuelle de mes semblables masculins, pour constater avec étonnement que peu d'entre eux étaient passés à l'acte. Le nombre de candidats expérimentés n'était pas aussi grand que je l'avais espéré. En trouver un allait être ardu. J'ai été remuée par les résultats obtenus. Est-ce que ce reportage à la télévision disait vraiment vrai ? Ou n'était-ce qu'un coup monté par des compagnies de préservatifs pour inciter les jeunes à faire l'amour plus tôt, influencés par les statistiques, et ainsi augmenter en flèches les ventes de condoms ? J'ai tout de suite écarté cette hypothèse du tableau, la trouvant trop mafieuse. Jamais une journaliste ne se serait pliée à une telle fumisterie. L'éthique journalistique prime. Mais mon enquête m'a fait réfléchir : je ne suis peut-être pas aussi retardée qu'on le prétend. De là à tout arrêter ? Quand même pas. Atteindre cet objectif me stimule trop. Au pire, je deviendrai une avant-gardiste. Ce qui est tout aussi *cool*.

Mes recherches de la semaine m'ont également menée sur l'insoupçonnable piste du... Dépuceleur, dont l'existence m'était totalement inconnue et dont la révélation a titillé mes oreilles pas-à peu-près, avec raison. Une légende urbaine court, à l'intérieur d'un groupe d'individus, qu'un garçon de cinquième secondaire bien portant de l'école privée d'à côté offrirait ses services pour initier les demoiselles aux plaisirs de la chair. Le tout gratuitement. Si cette rumeur se rélève véridique, ce serait, pour moi, le paradis sur terre. Ses talents et mon objectif :

le combo parfait pour que tout le monde y trouve son compte.

— Le Dépuceleur ? C'est ridicule !

Réaction première d'Amanda. Ridicule peut-être, mais ô combien idéal ! Après une discussion enflammée entre elle et moi sur le sujet, elle finit par changer d'avis et se range de mon bord.

— Le Dépuceleur ! Pas si con, pour toi…

Deuxième réaction d'Amanda. Je sais. Pas con pour deux sous.

Il ne reste plus qu'à mener une seconde enquête pour savoir si ce garçon existe bien en chair et en os, ou s'il n'est que le produit de l'imagination de jeunes hommes aux fantasmes aiguisés. Ce qui, je l'espère, n'est pas le cas. Trouver l'identité du Dépuceleur est une mission fort intéressante pour l'apprentie journaliste et la vierge que je suis. Ma fin de semaine sera bien remplie.

# JOUR 33

## Dimanche

La fin de semaine a été remplie comme un panier de fruits en été. De fil en aiguille, j'ai récolté de multiples détails pour déceler l'identité du fameux Dépuceleur et découvrir qu'il existait vraiment.

Amanda est sous le choc et n'en revient pas mais, tel un journal à potins, elle est avide d'en apprendre plus :

— C'est qui ? T'es sûre que c'est pas un prédateur sexuel ? Il a notre âge ? Tu l'as rencontré ? Ça y est, tu l'as fait ? Je veux tout savoir.

Elle veut tout savoir. Le problème, c'est que je ne peux pas tout dire. Mais comme elle se garde un jardin secret, je me sens moins mal de ne pas tout lui révéler. J'ai, en effet, réussi à le retracer. J'ai, en effet, réussi à avoir une rencontre secrète mais publique avec lui. J'ai, en effet, pu constater qu'il ne s'agissait pas d'une légende urbaine ni d'un prédateur sexuel, et que ce garçon de dix-sept ans était plus que sérieux dans sa démarche d'offrir son corps dans une optique « éducative ». J'ai, en effet, constaté qu'il serait parfait de l'inclure comme acteur principal de mon défi. J'ai, en effet, négocié avec lui pour qu'il puisse m'aider à trouver mon point G, point mythique dont tout le monde parle mais dont l'existence reste encore à prouver. J'ai, en effet, aussi promis de ne pas révéler son identité, sauf de manière méticuleuse et avisée à d'autres vierges intéressées par ses services, ce qui n'est évidemment pas le cas d'Amanda.

— Envoye ! Je suis ta meilleure amie, ta confidente.

Amanda insiste, trop curieuse. Mais je suis une jeune fille de parole. Dans mon cas, une promesse faite est une promesse tenue. Amanda est déçue. Mais elle veut connaître les détails que je suis en droit de lui donner, comme le plus important d'entre tous :

— Est-ce que tu l'as fait ?

Je réponds par la négative. En fin de semaine, c'était loin d'être le bon moment. Amanda me taquine :

— Il n'y avait pas un troupeau de licornes qui traversait un arc-en-ciel ? C'était pas assez magique à ton goût ?

Son sarcasme me passe dessus comme une goutte d'eau sur le dos d'un canard. J'enchaîne en expliquant qu'il y avait, comme ma grand-mère se plaît à le dire, la visite de ma tante Rose ou, de manière moins poétique, la mort d'un ovule. M'empêchant de passer à l'acte afin d'éviter de transformer la chambre de mon partenaire d'affaires en scène de crime. S'il y a une chose dont je n'ai pas envie à quinze ans, c'est bien de passer pour une meurtrière. Ce serait le comble, vierge et meurtrière. Un seul titre houleux me convient. Même si mes nombreuses lectures m'ont permis de constater que l'amour au temps des menstruations est possible, je ne peux m'empêcher de trouver cette option légèrement dégueulasse. Malgré ma grande ouverture d'esprit, pas pour moi. Non, merci. L'acte ultime a été remis à plus tard, dans un contexte moins sanglant.

— Est-ce que c'est un pichou ?

Amanda veut vraiment tout savoir. Le Dépuceleur n'est pas un pichou. Il est d'une beauté que l'on pourrait aisément qualifier de moyenne ou d'ordinaire. Loin de ce que j'ai connu avec Farid, de toute évidence. Le Dépuceleur n'engendre chez moi ni pâmoison adorative ni dégoût horrible. En sa présence, les papillons dans mon ventre sont inexistants. Ils ne laissent même pas place à l'émergence de la moindre chenille ou d'une quelconque larve similaire. Bref, aucune chance de tomber amoureuse. Grand bien m'en fasse. Dans les circonstances actuelles, il fera amplement l'affaire. Cette relation sera professionnelle. Strictement professionnelle. Et formatrice. Il dégage, en effet, un parfum de confiance et il m'aidera à appliquer avec assurance les théories assimilées dernièrement. En plus d'être apte à me montrer bien d'autres choses toujours inconnues de ma personne, puisque tel est son rôle dans ce segment de ma vie. Le sexe étant un territoire étendu avec beaucoup de monts et de rivières à explorer, mieux vaut prospecter avec quelqu'un qui peut s'y retrouver. Telle une boussole, je sais qu'il saura m'aiguiller. C'est rassurant et je suis rassurée. Je ne pouvais pas demander mieux.

Le grand jour est donc prévu pour bientôt. Amanda, surexcitée pour moi, me corrige, amusée :

— Tu veux dire le *gland* jour.

Amusée, je décide de le renommer ainsi. Le jour Gland avec le Dépuceleur est prévu dans une semaine. Le temps d'arrêter de saigner ma vie et de réunir les quelques conditions demandées par mon co-sexeur. Celui-ci, un tantinet capricieux, ne s'aventure avec une jeune vierge qu'à certaines conditions : un lieu intime fourni par la vierge, une trame sonore sexy et… une paire de bottes de cow-girl.

— Une paire de bottes de cow-girl ? répète Amanda, étonnée.

Une paire de bottes de cow-girl. Le Dépuceleur, apparemment, a un fétichisme pour les cow-girls ou pour les bottes. Vu la nature du service qu'il me rend, je m'abstiens de le juger. Préférant me convaincre que cela ajoutera du piquant à l'expérience. Je n'aime pas que la vie soit ennuyante. Toute cette épopée sera, je l'imagine déjà, très divertissante. Je me rapproche de mon but dans la joie et l'allégresse. Désormais, Lou Lafleur rime, même si ça ne rime pas, avec efficacité.

# JOUR 36

## Mercredi

Dans le rayon de chaussures du magasin de seconde main, je prends mon pied à essayer différentes bottes de cow-girl en peau de vache, en peau de crocodile et en peau-non-identifiable. Activité parascolaire passionnante. Avec Amanda, on se promet de flamber plus souvent nos allocations dans de vieux soutiens-gorge de matante à grosses fleurs et dans des chemises à picots *vintage*. Si je ne deviens pas journaliste, styliste pourrait être une possibilité. J'adore mélanger tout ce qui ne va pas ensemble jusqu'à ce que ce soit synonyme de beau.

Alors que j'admire mes bottes en peau de faux-crocodile rose fluo, Amanda arrive vêtue d'un kimono en fausse soie et d'une barbe de père Noël au menton :

— Pis une cow-girl avec une barbe de père Noël, penses-tu que ça lui plairait encore plus à ton Dépuceleur ?

Passer beaucoup de temps ici, on pourrait trouver de multiples autres fétichismes au Dépuceleur. Et même nous en trouver à nous. L'idée d'Amanda est tentante, de *pimper* encore plus le jour Gland, mais je m'abstiens de la relancer dans sa créativité vestimentaire. Avoir eu le goût de perdre ma virginité dans un habit de clown, j'aurais attendu l'Halloween. Tel n'est pas le cas. Et je n'ai surtout pas envie d'attendre jusque-là. Les bottes de cow-girl rose fluo seront suffisantes pour colorer et *pimper* à souhait cette soirée. Je passe à la caisse. Toutes les conditions ont été respectées et trouvées sans embûche ni complication. Tout file droit et en douceur, comme souhaité.

Je rentre à la maison, accompagnée d'Amanda, qui tient mordicus à écouter dans son intégralité le sexy *mix* concocté pour le jour Gland. Chacune un écouteur dans l'oreille, nous marchons en nous laissant transporter par mes choix de chansons suaves. Après quelques morceaux, Amanda retire son écouteur. Je la regarde, intriguée :

— Qu'est-ce qu'il y a ? Mon *mix* est pas bon ?

Amanda appuie sur pause.

— Il est pas pas-bon. Il est trop bon. Même à moi, ça me donne envie de te faire l'amour drette là !

Amanda, amusée, me saute dessus comme un bonobo sauvage en faisant semblant de copuler comme un cochon d'Inde en rut. Je ris en la traitant de « conne » à n'en plus finir. Mais sa réaction me fait plaisir. Mon divin *mix* créera une ambiance sensuelle maximale qui ne déplaira pas au Dépuceleur.

Nous filons dans ma chambre, dans le silence complet pour éviter l'émergence d'une nouvelle bonobo-cochon-d'Inde-sauvage-copulatrice. L'objectif étant de terminer mes préparatifs du jour Gland, qui aura lieu dans exactement trois jours. Ouhhhhhh ! L'excitation est déjà à son paroxysme. Je n'arrive pas à imaginer de quoi j'aurai l'air samedi soir. Si la tendance se maintient, je risque d'éclater de surexcitation. Il va y avoir du dégât. Beaucoup de dégât. Je montre à Amanda les vêtements que je compte porter pour cette soirée spéciale : camisole blanche avec des roses brodées, s'agençant désormais avec mes bottes d'occasion, et jupe mi-genou jaune.

— Coquet, romantique et mignon. Pareil à celui d'une jeune Anglaise qui prend le thé sur le bord d'un étang.

Voilà comment Amanda décrit l'ensemble, et voilà comment j'en déduis qu'il s'agit du *kit* idéal.

— Sauf pour les bottes qui détonnent un peu du look, ajoute-t-elle.

Mais bon. Ce n'est pas comme si j'avais le choix.

Sur ma commode, je réunis tous les éléments en un seul tas pour le gland jour : *kit* vestimentaire, bottes de cow-girl, boucles d'oreille, sac de couchage, oreiller, chandelles. Tout est prêt et ordonné.

— Condom ? complète Amanda, telle la mère attentionnée qu'elle est toujours.

— Non.

J'ai répondu spontanément, alors que je m'étais juré de ne rien dire.

— QUOI ? s'insurge Amanda, le regard foudroyant.

Je le savais. Je savais qu'elle allait réagir comme ça. Je savais que j'aurais dû me taire. Mais le « non » s'est propulsé hors de moi sans que j'aie le temps de l'arrêter. Parce que je suis incapable de mentir à ma *best*. Son regard m'indique que je suis dans un pétrin dont il ne sera pas facile de sortir. Je n'ai donc pas le choix de lui avouer TOUTES les négociations discutées avec le Dépuceleur, dont la règle non négociable de ne pas porter de condom lors de notre relation.

Amanda, outrée, s'emporte comme la pire des tornades du Kansas. Je vais avoir besoin d'un magicien pour m'en sortir. Et d'un bon. Amanda hurle son désaccord et trouve les mille et une raisons que je connais déjà pour ne pas me soumettre à cette règle débile. Et il n'y a, en fait, pas mille et une raisons à énumérer, mais seulement deux, majeures : « ITS » et « grossesse ». Mais je ne suis pas n'importe qui, je suis une enfant du vingt et unième siècle : informée, alerte, renseignée. J'ai déjà dans ma poche un argumentaire béton. Le Dépuceleur ne couche qu'avec des vierges, ce qui élimine les ITS du chemin. Et je viens d'avoir mes règles, ce qui empêche aussi la naissance prochaine de dépuceleurs juniors. Amanda met la hache dans mes arguments béton, qu'elle trouve aussi mous qu'une crème glacée au soleil. Elle remet tout en doute. Comment suis-je certaine qu'il ne couche qu'avec des vierges ? Comment puis-je lui faire autant confiance alors que je le connais à peine ? Comment suis-je certaine qu'il n'est pas né avec le sida ? Comment suis-je absolument sûre d'où est rendu mon cycle menstruel, alors que je ne tiens pas de calendrier ? Suis-je si régulière que cela ? Comment, comment, comment puis-je être aussi stupide ? Elle m'assaille de questions auxquelles je n'ai évidemment pas toutes les réponses. Me parle dans le casque encore plus fort que Justin la semaine dernière. Décidément, mes amis me malmènent. J'imagine que c'est pour m'endurcir la couenne. Sauf que, dans l'emportement de son emportement, je n'arrive pas à trouver mon calme. Je suis à bout de me faire dire comment vivre ma vie. Comme si chacun de mes mouvements ou de mes comportements était reprochable. À un moment donné, ça suffit !

Je m'emporte moi aussi en lui lançant haut et fort :

— Je suis pas stupide. Je suis déterminée.

Amanda, qui a un trop gros sens de la répartie, me réplique du tac au tac :

— Déterminée au point de risquer ta vie et ta jeunesse ? C'est pareil que d'être stupide. Même Dylan O'Brien met des condoms dans ses films.

— J'ai tout calculé. Les chances que j'attrape une chlamydia oculaire ou que je donne naissance, à quinze ans, à des jumeaux sont pratiquement inexistantes.

— Mais elles sont là. Tu serais stupide de jouer à l'invincible.

Déjà trois « stupides » de lancés par Amanda en moins de trois minutes. Il ne lui en reste plus que quatre pour arriver à sa fameuse tradition de répéter sept fois la même chose pour que je l'assimile bien. Je ne lui laisserai pas cette chance. Pas cette fois.

— Les risques sont ultra-minces. J'ai confiance. Tout va bien aller.

— T'es stupide !

Je prends un air autoritaire que je ne me connais pas et ajoute :

— C'est mon défi. Je vais tout faire pour le réussir. Et ça te regarde pas comment je le vis.

— T'es stupide, stupide, stupide.

Ding ! Ding ! Ding ! Sept fois. Amanda, frustrée, me fixe et ajoute, franche :

— Viens pas brailler sur mon épaule quand t'auras poigné l'hépatite-herpès-syphilis. Je ne serai pas disponible.

Elle sort en claquant violemment la porte. Tout ce que je trouve à dire, c'est : « Ça n'existe plus, la syphilis ! » Mais Amanda semble déjà loin. Très loin. Loin de moi et de mes priorités. Toute seule, écrasée sur mon lit, je me rends compte que c'est loin d'être facile de faire des choix difficiles.

# JOUR 37

## Jeudi

Je ne vois que deux possibilités : soit Amanda m'ignore royalement, soit je suis devenue invisible. Je ne l'ai jamais vue aussi fâchée contre moi. Depuis hier, la tempête ne s'est pas calmée. Dans les corridors, elle passe à côté de moi sans daigner me regarder. Dans les classes, elle s'assoit à l'opposé d'où je suis assise, demandant même à certains de se déplacer. Mon cœur se tord chaque fois. Sa froideur est blessante. Son indifférence use mon humeur. J'aimerais trouver un moyen de casser ce silence. J'ai l'impression d'avoir la peste. Ou la syphilis. Qui n'est pas une infection transmissible sexuellement morte, comme je le croyais il y a moins de douze heures. Non. Non. Non. Surprise-surprise ! Je l'ai appris à mes dépens, hier. Après la sortie explosive d'Amanda, Mathieu, qui m'avait entendue crier, s'est retrouvé dans ma chambre. Non pas pour me consoler ou s'informer de ce qui venait de se passer, mais plutôt pour me signifier qu'il était pas mal certain que la syphilis, ça existait toujours. Encore sous l'effet de l'adrénaline après ma chicane avec Amanda, j'ai répliqué, obstinée :

— T'as pas rapport. La syphilis, c'est une maladie morte. C'est les chevaliers qui pognaient ça. Les chevaliers, ils existent plus. La syphilis, ça existe plus non plus.

Profitant de ma vulnérabilité, Mathieu m'a tout de suite lancé le pari de c'est-toi-qui-fais-la-vaisselle-pendant-une-semaine-si-j'ai-raison. Pari que je me suis empressée d'accepter, certaine d'être dans la vérité. J'ai vite ravalé ma salive au fond de mon intestin grêle et remonté mes manches pour faire la vaisselle quand nous avons *googlé* la chose. Non seulement la syphilis n'est pas morte, elle est plus vivante que jamais. Et refait surface en tant qu'infection transmissible sexuellement qui veut retrouver sa cote de popularité. Le nombre de cas a augmenté au pays dans les dernières années. Ce qui n'est pas une si bonne nouvelle. Super pas-super. Je commence à croire que j'ai faux sur tout, tout le temps. De mon côté, c'est ma confiance en moi qui a envie de retrouver sa cote de popularité. Plus ça va, moins ça va.

Toute la journée, Élisa et Olive tentent tant bien que mal de remplacer par un champ de blé ensoleillé l'iceberg qui nous sépare, Amanda et moi. Rien n'y fait. C'est une chicane de filles. Une vraie chicane de filles. Et c'est connu, ce n'est pas deux autres filles qui n'ont rien à voir là-dedans qui peuvent y changer quoi que ce soit. C'est la règle numéro un des chicanes de filles.

Mes petits mots d'excuse sur sa case prennent vite la direction des poubelles. Mes sourires répétés s'évaporent quand ils croisent les yeux vampiriques d'Amanda. Même ma prestation en direct à la radio d'une chanson improvisée et intitulée *Je m'excuse Amanda* et dont les seules paroles pendant trois minutes sont « Je-m'excuse-Amanda » n'a eu aucun résultat significatif. Aucune ouverture. Le comportement d'Amanda n'a pas changé d'un poil de toute la journée.

Être si près du but et ne pas y arriver semble devenir une vilaine habitude chez moi. Chaque fois que je pense que tout roule, j'ai des cordes de bois d'embûches qui s'élèvent devant moi. Est-ce que ça va finir par arrêter ? J'aimerais mieux que ma vie soit un long fleuve tranquille plutôt qu'une rivière agitée. Je comprends les inquiétudes d'Amanda. Je les comprends très bien. J'ai analysé la situation sous toutes ses coutures pour en arriver à la conclusion que les risques en valaient la chandelle. Mon intuition me dit de continuer. Peu importe ce qu'en dit Amanda. Et les règles numéro cinq et numéro huit des *Dix règles pour vivre une vie heureuse et bien remplie* me donnent raison. Règle numéro cinq : « Prenez des risques, n'ayez pas peur. » Règle numéro huit : « Arrêtez de prendre des décisions selon ce que les autres vous disent. Menez votre vie comme vous le souhaitez. » J'adore ces listes. Je suis accro à ces listes. Je les apprends par cœur. Les récite au gré de mes envies quand je suis sur la toilette ou que j'attends l'autobus. Et fort heureusement, la liste en question me donne le feu vert pour poursuivre. Qui ne tente rien n'a rien.

Le seul frein qui sème doute et confusion dans mes neurones est la réaction nucléaire de ma meilleure amie. Je me mords les os de perdre son respect et sa précieuse amitié à cause d'une décision qui ne la concerne pas. Je sens que je l'ai déçue, que je la déçois et que je vais la décevoir. Ça me fait sentir *cheap* de décevoir quelqu'un. Surtout quelqu'un comme Amanda. Mes tripes me disent de foncer. Mais mes tripes sont quand même déchirées à l'idée que, en faisant cela, mon amitié avec Amanda prenne drastiquement fin. Je me convaincs que la vie est bonne et qu'Amanda finira peut-être, un jour, par me pardonner mon choix, qu'elle juge présentement si irresponsable. Il faut laisser du temps au temps pour qu'il amenuise les choses. Je souhaite fort qu'Amanda et moi escaladions à nouveau le mont de l'Amitié.

En attendant, je ne vais pas m'ennuyer. Je suis déterminée à remiser ma virginité. Je me lance, je plonge. Je prends des risques et je n'ai pas peur.

# JOUR 39

## Samedi

Le jour Gland frappe à ma porte à grands coups de gong. Étrangement, je ne ressens pas l'état explosif anticipé. Loin de là. Respiration stable, pouls normal, poils non hérissés sur ma peau. L'opposé du moment vécu lors du grand jour avorté avec Farid. La sensation est curieuse… ne rien ressentir face à un évènement pourtant grandiose. La frénésie interne tarde à venir. Je me dis qu'elle viendra lorsque je serai nue comme un vers devant le Dépuceleur. C'est sûr qu'elle viendra.

Je termine mes préparatifs en mettant les derniers éléments dans mon sac à dos. J'envoie un texto à Justin pour m'assurer que la voie est libre. Il a accepté avec beaucoup de gentillesse de me prêter le cabanon. Ses parents étant partis pour la fin de semaine, je n'ai aucune crainte d'être dérangée dans ce qui deviendra bientôt le temple de la défloraison de Lou Lafleur. Ce cabanon est désormais un lieu mythique dans mon défi. Si un jour je deviens célèbre, je prédis des files de milliers de personnes venues de partout à travers le monde pour le visiter. Justin se fera une fortune grâce à moi et à mes folies. Je lui souhaite. Il est fin, Justin. Il se plie à toutes mes requêtes, tel un preux chevalier. Et il ne juge jamais mes propositions délurées. Des fois, j'ai le désir secret de proposer à ses parents de l'échanger contre mon frère, avec qui je ne partage aucune affinité. Si Justin était mon frère, ma vie familiale serait tellement plus agréable ! Après le défi, mon prochain objectif pourrait être de faire du troc de frère. J'aime bien me fixer des objectifs. Ça aide à avancer en avant. Puisqu'avancer en arrière, je ne crois pas, de toute façon, que ce soit possible. Justin m'envoie un « Go ». Je prends mes affaires. Je sors de la maison. J'approche du cabanon à grands pas. J'approche à grandes enjambées de la conclusion de mon défi.

Justin m'aide à m'installer. Avec des matelas de sol, des poufs, des coussins et des sacs de couchage, nous créons ensemble un nid douillet pour accueillir mon fessier et celui du Dépuceleur. Justin ne me juge pas, mais il me demande si c'est réellement ce dont j'ai envie. Il trouve que ce nouveau concept ressemble pas mal à une séquence porno non filmée. Du sexe. Net. « Frette ». Sec. Sans sentiment. Il me rappelle qu'il n'y a pas si longtemps je crachais là-dessus. Il y a juste les fous pour ne pas changer d'avis. Oui. C'est ce que je veux. Cette façon de faire épargne le cœur. De toute façon, trop tard pour reculer. Surtout pour quelqu'un qui préfère avancer. Le Dépuceleur arrive dans cinq minutes. Je botte les fesses de Justin pour l'expulser. Il m'embrasse sur les joues en me souhaitant « bonne chance ». Ça y est. Je commence à avoir des petits papillons frétillants. Je savais que ça se produirait. Justin sort. Je mets le *mix-luv-and-sex* et m'assois en attendant le Dépuceleur.

Calée dans mon pouf, je me tourne allègrement les pouces. Un cognement retentit à la porte. La poignée se tourne. Le Dépuceleur entre. Il regarde. Analyse. Observe l'installation improvisée du soi-disant lit. Affiche une moue peu convaincante et peu convaincue.

— J'ai déjà vu mieux.

Pas de « bonjour, ça va ». Juste un désagréable « j'ai déjà vu mieux », qui me rabougrit de l'intérieur. Alors que j'ai mis tant d'efforts pour rendre le lieu le plus agréable possible. C'est sûr que ça n'a rien à voir avec un château anglais du dix-huitième siècle aux briques en or, ou avec une suite présidentielle au manoir DuLuxe, mais mes allocations hebdomadaires n'étant pas de cinq cents dollars, difficile d'offrir mieux. Sa réaction de bouette m'incite à penser que la soirée est déjà à l'eau.

— Mais ça va faire l'affaire pareil, ajoute-t-il en venant s'écraser sur le pouf à côté de moi.

Fiou et refiou. Soulagement. Nul besoin de flamber mes économies d'études accumulées par mes grands-parents pour satisfaire les exigences de Monsieur de le faire dans un lit de rubis.

Il règne entre nous une butte de silence, enterrée seulement par la voix sensuelle de Lana Del Rey. L'ambiance est particulière. Je m'interroge sur la suite. Mes bras croisés sur mon ventre en disent déjà long. Mon corps me signale un intérêt peu marqué à l'égard de l'individu à mes côtés. Celui-ci

pose la main sur ma cuisse. L'effet est instantané.
Je grimace des sourcils. La réaction est loin d'être
celle espérée. Il s'approche de moi. Se colle. Mon
corps se crispe.

— Ça va bien aller, me dit-il d'une voix douce,
avant de commencer à déboutonner ma camisole.

Ça va peut-être bien aller, mais d'un coup je me
rends compte que je ne me sens pas bien du tout.
J'analyse en détail le Dépuceleur, tandis qu'il
s'obstine avec un bouton récalcitrant. Je ne suis pas
bien avec sa main qui touche ma cuisse. Je ne suis pas
bien avec ses cheveux trop blond platine. Je ne suis
pas bien avec son air de faux crooner. Je ne suis pas
bien avec l'énergie de bulldozer qu'il dégage. Je ne
suis pas bien. Pourtant, il est fin. Somme toute, beau.
Attentionné dans sa manière de me déshabiller. Mais
il ne me fait aucun effet. Pour avoir ressenti un intense
tsunami avec Farid, je comprends que le Dépuceleur
n'aura jamais la capacité de me faire vibrer. Et c'est
avec lui que je vais perdre ma virginité ? C'est ce
pirate des édredons qui part à la recherche et à la
découverte de mon précieux et unique trésor ? C'est
vraiment ça que je veux ? Un « non » géant se donne
en spectacle dans mes entrailles. Il tambourine sur

un rythme soutenu dans mes tendons et mes veines :
non, non, non.

NON.

Qu'est-ce que je suis sur le point de faire ? Plus
il me déshabille et me touche, plus mon corps tout
entier a envie de rentrer à l'intérieur de mon nombril
et de s'y cacher. Est-il trop tard pour reculer ? Je suis
déjà à moitié à poil devant le Dépuceleur à moitié
à poil. Et si tout suit le processus normal d'une
relation sexuelle, dans quelques minutes à peine,
je serai SOUS le Dépuceleur. Scène qui, tout à coup,
m'horripile au plus haut point. J'aimerais qu'une
soudaine tornade emporte le toit du cabanon et le
Dépuceleur du même coup. J'aimerais qu'un éclair
nous frappe et mette le feu à la cabane pour nous
obliger à sortir. Soudain, j'aimerais le pire des cata-
clysmes pour m'éviter de passer à l'acte. Alors que le
Dépuceleur s'apprête à me retirer ma petite culotte,
je lui fais un signe de temps d'arrêt, comme dans les
dernières minutes d'une importante partie de balle
molle. Après tout, le sexe aussi est un jeu.

— Attends…

Le Dépuceleur suspend ses mouvements.

— Ça va bien aller, me répète-t-il en continuant
de me dénuder. Détends-toi !

Me détendre ne fait plus partie des options, monsieur le Dépuceleur.

— Attends ! Arrête !

La petite culotte à la hauteur des cuisses, je me trouve dans la situation la plus absurde et inconfortable de toute ma vie. Je la remonte en disant, la voix sûre et claire :

— Je ne veux plus.

Le Dépuceleur affiche un air estomaqué en se flattant le torse :

— Tu ne veux pas de mon corps d'Apollon ? T'es débile ou quoi ?

Cette dernière phrase confirme que la chimie entre nous est impossible. Lors de notre première rencontre, je n'avais pas remarqué à quel point le Dépuceleur était hautain, égoïste et centré sur lui-même, aveuglée que j'étais par l'aboutissement de mon projet. Mais là, l'entièreté du Dépuceleur représente un répulsif total : sa voix, son corps, son odeur, son regard, son attitude. Je me suis dupée en croyant qu'il serait le garçon idéal pour mon défi. Pour ça, oui, j'ai été débile. Mais pas débile au point de poursuivre ma route sur le chemin de la stupidité. Il y a des limites. J'ai mes limites.

Au moment où le Dépuceleur, têtu et peu compréhensif, s'apprête à rebaisser ma petite culotte, la porte s'ouvre violemment. Deux étranges spécimens vêtus en noir et cagoulés s'introduisent avec éclat en hurlant : « Commandoooooo ! » Ils repoussent le Dépuceleur, stupéfait, au fond du cabanon. M'enroulent dans une couverte et me ligotent en une fraction de seconde, avant de me saisir par les poignets et les mollets pour m'extirper du cabanon. J'entends, au loin, le Dépuceleur qui hurle : « Mais vous êtes tous débiles ou quoi ? », alors que je constate qu'on me kidnappe contre mon gré. Ou plutôt, dans la situation actuelle, avec mon gré. Un cataclysme vient de sévir. Mais un cataclysme humain. Tout semble si irréel. Ma soirée prend une tournure au-delà de toute attente. Crier serait une bonne option. Mais à bien y réfléchir, je me sens beaucoup mieux ligotée et trimballée par deux cagoulés que je me sentais à être déshabillée par le Dépuceleur. Ce qui veut dire beaucoup. Barouettée de gauche à droite, je me dis que bientôt l'irréel retrouvera du sens. Du moins, je le souhaite fortement.

*

Mes mains sont attachées aux barreaux d'une inconfortable chaise en bois sur laquelle je suis assise, figée comme une barre de métal. La situation n'est pas juste absurde, elle est complètement inusitée. Comme début de film d'horreur de série B, difficile de faire mieux. Décidément, j'ai raté quelques chapitres, parce que je ne comprends plus rien à rien. On retire en douceur le bandeau qui me couvrait les yeux. Ceux-ci s'ajustent peu à peu au faisceau lumineux du plafonnier qui m'aveugle. J'aperçois devant moi les deux cagoulés se décagouler : Amanda et Justin. Ligotée au milieu de la chambre de celui-ci, j'ai beaucoup de questions à leur poser sur les récents événements, mais le ruban électrique noir sur ma bouche m'empêche d'être loquace. Amanda fait signe à Justin de partir. Il sort de la pièce rapido presto. Amanda fait les cent pas devant moi, en prenant de grandes respirations pour remettre ses idées à la bonne place. Elle me regarde et me lance :

— Je ne peux pas te laisser faire ça ! Mieux vaut prévenir que guérir.

J'ai beau me débattre et faire des sons l'invitant à libérer ma bouche pour me permettre de lui dire que je suis de son avis, Amanda ne comprend pas le sens de mes onomatopées sonores. Elle poursuit son monologue qu'elle a dû écrire et répéter sept fois avant de se retrouver devant moi.

Elle m'explique à quel point je dois me respecter davantage. Je sais. Je suis d'accord. Et c'est ce que je viens de faire il y a deux minutes à peine. Elle m'explique que je ne dois pas faire tout ce qu'un gars me demande, comme de ne pas mettre un condom. Je sais. Je suis d'accord. Et c'est ce que j'essayais de faire il y a trois minutes à peine. Elle m'explique que je suis plus importante que tout et qu'il y a des limites à trop provoquer quelque chose, comme faire l'amour. Je sais. Je suis d'accord. Et c'est ce que j'ai réalisé il y a quatre minutes à peine. Elle m'explique qu'il est hors de question qu'elle me laisse faire l'amour sans protection. Elle veut m'éviter de faire la même erreur qu'elle. Je sais. Je suis... J'interromps soudain la petite voix dans ma tête. Quoi ? Quelle erreur ? De quelle erreur parle-t-elle ? J'arrête mes sons communicatifs pour écouter attentivement le reste de sa phrase. Celle où Amanda me confie qu'elle est tombée enceinte après sa première fois, certaine que la première fois il était impossible que ça arrive. Ô comme elle était mal renseignée ! Celle où elle me confie qu'elle a été obligée de se faire avorter et que ce n'était pas aussi le *fun* qu'une partie de ping-pong. Celle où elle a embarrassé ses parents, a eu honte d'elle, d'avoir été aussi pioche, de ne pas s'être protégée d'aucune manière, juste parce que l'occasion de faire l'amour s'était présentée et qu'elle l'avait saisie de manière insouciante. Bref, elle veut éviter que je fasse les mêmes erreurs, parce que ce n'est pas jojo à réparer. Elle s'en fout si je la déteste à jamais après le commando anti-Dépuceleur qu'elle vient d'organiser. Elle ne veut que mon bien et est persuadée d'avoir fait la bonne chose. Je sais. Je suis d'accord. Entièrement d'accord. Depuis plusieurs minutes déjà. Avant qu'elle ne me parle. Avant qu'elle ne me kidnappe. Avant qu'elle ne me ligote.

Je gigote dans tous les sens pour signifier à Amanda de défaire mes liens. Pour qu'elle et moi ressoudions enfin notre lien d'amitié. Ayant terminé son plaidoyer, Amanda me détache de toutes mes attaches. Je lui raconte tout. Tout ce qui vient de se passer. En long, en large et en hauteur. Amanda est fière de moi. Et soulagée. Je suis fière de moi. Et aussi soulagée. Même si un petit sentiment d'échec tente de se creuser un trou en moi comme un vilain vers de terre. L'échec de mon défi. Encore. Pour la deuxième fois. Jamais deux sans trois. La prochaine sera la bonne. Amanda en est certaine.

C'est bon de la retrouver. Je la serre fort dans mes bras en lui disant de tout me confier la prochaine fois. Mon amie, qui ne l'a pas eu facile l'été dernier. Je lui dis de ne pas garder d'immenses secrets comme ça seulement pour elle. Je suis là pour ça. Là pour elle comme elle pour moi. Parce que les amies, c'est si précieux. Amies qui servent à nous rassurer. À nous remonter le moral. À nous faire la morale. À nous éviter le pire. À nous faire vivre le meilleur. L'amitié est plus importante que le reste. Toujours.

Justin cogne à la porte. Il n'en peut plus d'attendre et d'entendre des cris de joies et de retrouvailles. Il entre. Lui aussi veut participer à la *fiesta* de l'amitié. Nous nous prenons dans nos bras comme si nous faisions une gigantesque farandole. Je remercie mes amis. Leur commando était un peu intense mais fort probablement nécessaire et me convainc que ma décision était la bonne, quitte à paraître ridicule devant le Dépuceleur. Justin et Amanda clament en chœur que c'est avec l'intensité que l'on traite l'intensité, et que pour une fille aussi intense que moi des mesures extrêmes s'imposaient. Je les remercie encore et encore. Merci pour l'amitié qui conseille si bien.

# JOUR 42

## Mardi

Après l'épisode du Dépuceleur, un léger découragement m'a presque persuadée que rester vierge toute ma vie me permettrait de vivre dans une simplicité plus grande. Amanda s'est fait un devoir de me convaincre de poursuivre mes recherches de journaliste-recherchiste-cobaye, pour ne surtout pas laisser l'échec se nidifier en moi. Oui. Continuer à avancer et à évoluer. Et être mieux préparée pour la prochaine fois. La troisième fois. Qui sera la bonne, cette fois.

Tout cela explique la situation dans laquelle je me trouve en ce moment et qui compétitionne férocement avec les autres absurdités des derniers jours.

Je suis en effet présentement assise aux côtés de ma voisine dans la salle d'attente d'une gynécologue. Oui. Plus ma vie avance, plus elle n'est qu'une longue enfilade de scènes saugrenues. L'expérience de vie d'Amanda a fait du chemin en moi. Ses propos ont porté fruit. Je ne veux pas répéter son erreur. Des autres, on apprend aussi beaucoup de choses. D'abord, se munir d'un système de prévention à toute épreuve. Ensuite, se la couler douce en « sexant » sans s'inquiéter. Bref, ma philosophie progresse. Et pour le mieux, je crois. Ne pas prendre de risque inutile pour s'éviter des tracas. Voilà mon nouveau *mojo*. Aux grands maux les grands remèdes. Tant qu'à prendre les choses au sérieux, aussi bien le faire avec des professionnels. Ma voisine étant, selon tous mes critères, l'experte des expertes en la matière, je lui ai demandé un coup de pouce. Surtout qu'elle apprécie de plus en plus m'être utile à ce sujet. Elle ne m'a pas juste aidée à trouver un spécialiste, elle a aussi réussi à m'obtenir un rendez-vous rapidement et a décidé de m'y accompagner.

Dans la salle d'attente, j'ai l'impression d'être rouge écarlate. Une première fois chez un gynéco peut être qualifiée de gênante, voire troublante. Pour faire passer temps et gêne, je m'amuse à imaginer les histoires des gens autour. L'homme assis à côté de moi est-il porteur de la syphilis, cette ITS si à la mode ? La femme en face de moi est-elle infectée par une atroce et odorante infection vaginale ? La jeune fille au fond de la salle s'inquiète-t-elle à mort d'avoir contracté le sida ? Attendre chez un gynéco rend l'imagination très fertile.

Mon nom retentit dans l'interphone. Un léger stress se catapulte en moi. Mais le sourire rassurant de la voisine m'apaise et m'incite à me lever. Nous nous sommes entendues au préalable qu'elle ne m'accompagnerait pas à la consultation, question que je préserve un peu d'intimité. Mais entrer dans cet univers nouveau m'insécurise un tantinet. Ses paroles prononcées plus tôt me reviennent : « Ton sexe est un objet précieux. Tu dois en prendre soin et bien l'entretenir. » Ce n'est pas tout d'avoir récemment découvert l'existence de mon sexe et de ses capacités, c'est aussi primordial d'en faire un terrain fertile et agréable. Ou, dans mon cas, un terrain infertile pour me rendre la vie plus agréable. Je me dirige vers le cabinet en marchant avec la lenteur d'un astronaute sur la Lune. Un petit pas pour la petite fille que je suis, un grand pas pour la femme que je serai. C'est à ce moment que je me rends compte de l'immense transformation qui m'habite. Je ne suis plus une petite fille. Fini. Je passe au stade suivant. Ce sentiment qui était totalement absent il y a trois ans lors de mes premières règles se pointe enfin le bout du nez. Même si on entend partout : « Quand la jeune fille saigne, c'est alors qu'elle devient femme. » Moi, je dis : « Foutaises ! » À douze ans, j'ai peut-être commencé à saigner, mais je jouais encore allègrement à la pouliche et n'avais aucune sensation d'être « femme ». Bon. Faut dire que mes premières menstruations ont été ce que l'on pourrait qualifier d'épiques. Pendant une semaine, voyant le fond de mes culottes ensanglantées, j'étais certaine d'être atteinte d'une maladie grave et mortelle. Pour ne pas faire subir une peine inconsolable à mes parents adorés, j'avais refusé de leur avouer mon décès à venir et m'étais donné comme mission de cacher mon incurable maladie en réduisant en miettes, la nuit venue, mes culottes tachées dans le bac de compost au fond du jardin. Jusqu'à la quatrième nuit où j'ai été surprise dans ma destruction massive de sous-vêtements par mes parents, qui m'ont annoncé que le rouge au fond de ma culotte n'était pas significatif de ma mort prochaine mais, bien au contraire, le début d'une nouvelle vie.

À deux pas de la porte du bureau, je réalise que c'est plutôt là-là le début de ma métamorphose. C'est là-là que ma nouvelle vie commence. L'esquisse d'un sourire naît sur mon visage et me donne tout le courage dont j'ai besoin.

J'entre dans la pièce. Face à moi, un bureau d'où se lève la gynéco pour me serrer la main. À ma droite, une table d'examen avec, au bout, d'étranges pattes de métal ressemblant à des bras de robots. Je ferme la porte et m'assois. Mon interrogatoire commence par un « Qu'est-ce que je peux faire pour vous, mademoiselle Lafleur ? » tout ce qu'il y a de plus commun. Protection. Pilule ou autre. Donnez-moi quelque chose pour m'éviter de tomber dans le trouble. L'interrogatoire se poursuit :

— Êtes-vous active sexuellement, mademoiselle Lafleur ?

Ma première envie, c'est de répondre « oui » pour paraître *hot*. Pour entrer dans la moyenne. Pour être comme les autres jeunes de mon âge. Vite, je suis rattrapée par un flot de sincérité. Je réponds « non ». Et le flot de sincérité se poursuit, je partage à ma gynéco mon désir d'être protégée pour rapidement faire l'amour et ne plus appartenir à la catégorie des attardées sexuelles. La gynéco me sourit avec franchise. Elle laisse tomber son crayon sur son bureau. Décide de me partager quelque chose. À moi seulement. Quelque chose qu'elle ne partage pas d'habitude à ses autres patients. Certaine que sa révélation m'aidera à me forger une autre idée, elle me dit :

— Tu sais à quel âge j'ai fait l'amour pour la première fois ?

Ce qui est évidemment une question stupide à laquelle je ne pourrais répondre, puisque je la connais depuis à peine quelques minutes. « Non » est la seule et unique réponse raisonnable que je peux donner.

— Vingt et un ans.

J'en suis presque choquée. Vingt et un ans avant de faire l'amour. Comment a-t-elle fait pour survivre à une telle attente et, surtout, comment a-t-elle fait pour ne pas se sentir à un certain point ridicule et dépassée ? Incroyable. J'observe ma gynéco, ne sachant pas si je dois la regarder comme une sainte ou comme une cinglée.

Elle a décidé d'attendre. Tout simplement. D'attendre le moment où elle se sentirait prête. Mais surtout d'attendre pour le faire avec un homme qui ferait vibrer son ventre, son cœur et sa tête. Comme moi avec Farid. Avec lui, j'aurais été prête. Elle sait que ses propos sont un peu vieux jeu, mais elle ne peut s'empêcher de me les dire. Attendre est encore plus noble que de s'empresser, surtout pour une expérience aussi vibrante que celle-là. Les premières fois sont si marquantes et fascinantes que les brusquer est, selon elle, un non-sens. Ses paroles me parlent. Beaucoup. Elles m'apaisent. Elle a raison. Les sentiments ressentis avec Farid étaient mille fois plus intéressants que ceux ressentis avec le Dépuceleur. L'expérience de faire l'amour avec son ventre, son cœur et sa tête est sans doute plus gratifiante que de faire l'amour seulement avec sa tête. Parce que la raison le veut. Parce que les autres disent que c'est ce qu'il faut faire. Parce que tous les autres le font.

Je m'exclame :

— *Fuck* les autres !

— *Fuck* les autres ! répète ma gynéco.

Elle est contente de ma visite. Moi aussi. Et malgré son discours m'invitant à attendre le bon moment, elle me prescrit une pilule contraceptive et me tend quelques condoms, pour que je sois bien équipée le moment venu. Qui pourra être dans quelques mois.

Ou dans quelques années. Je me dis que mon tour viendra bien. Plus tard. Rien ne presse. Non. Plus rien ne presse. Le rendez-vous est terminé. Je pointe la table d'examen à mes côtés en l'interrogeant. Il est possible que la prochaine fois j'aie droit au traitement jambes-écartées-spéculum. Je suis épargnée pour aujourd'hui. La nécessité ne se fait pas sentir. Avant de quitter, elle me fait promettre de revenir la voir pour lui poser toutes mes questions. Même les plus banales. Je lui promets. Mais pour l'instant, j'ai toutes les réponses qu'il faut.

Incroyable comment tout peut changer à l'intérieur de cinq petites minutes. Notre perception des choses et de notre personne. Ma gynéco est comme une bénédiction. Un signe pour ralentir la cadence. Prendre mon temps est peut-être le plus beau cadeau que je peux m'offrir. Me laisser porter sur les vagues plutôt que de les créer. Mon vagin trouvera en temps et lieu pénis à son pied.

En sortant du cabinet, je réalise que, pour la première fois en quarante jours, j'arrive à être calme. Très calme. Enfin.

# JOUR 45

## *Vendredi*

Aujourd'hui marque une date d'une importance capitale. La fête de mes seize ans. Date limite de mon défi. Date importante aussi parce que, à partir d'aujourd'hui, je décide de changer officiellement mon statut d'attardée sexuelle pour celui de « lente-sexeuse. » Toutes mes mésaventures n'ont pas mené à l'extase telle que je me l'étais imaginée, mais elles m'ont permis de forger en moi quelque chose de solide : les fondations de mon temple personnel. Et de qui je suis prête à y accueillir. J'ai envie de prendre mon temps pour y répondre. Mon objectif n'est point atteint. Il n'y a pas si longtemps, je me serais frappé la tête à maintes reprises contre le mur devant cet échec monumental. Aujourd'hui, je suis persuadée que cet échec n'est qu'un premier pas vers une réussite plus délicieuse. Il me reste encore beaucoup de possible et d'inconnu à explorer. J'invite mon enthousiasme à prendre toute la place pour la suite. Seize ans. Sensée. Vierge. Et fière. Voilà ce que je clame être en cette date si importante.

Dans la cour arrière, amis et famille sont réunis pour un *party* hot-dog des plus décadents. Tout mon monde, mon précieux monde, est là. Et ça me rend heureuse. Même la voisine est venue faire son tour avec un punch alcoolisé, au grand désespoir de ma mère. Mais comme ce sont mes seize ans et que je les fais bien, j'ai droit à un verre. On trinque de manière festive juste avant l'ouverture éclatée de mes cadeaux. La traditionnelle paire de boucles d'oreille offerte par Amanda, qui depuis plusieurs années se fait un devoir d'orner mes lobes de beaux atours. Du vernis à ongles aux couleurs *funky* d'Élisa. Une carte-cadeau de mes parents au montant astro-nomique pour m'acheter autant de chansons que je veux. Un livre sur le végétarisme offert par Olive. Qui a aussi apporté ses saucisses au tofu pour me faire découvrir ces merveilles, non accompagnées du goût accablant de la culpabilité d'avoir tué un animal sans défense. Une camisole en paillettes avec un décolleté qui descend jusqu'au nombril offerte par la voisine. Décidément, elle n'a toujours pas compris que ce n'est pas mon dada de dénuder mes seins à la populace. Dans ces moments, il est toujours bon de se rappeler que c'est l'intention qui compte. Un certificat d'un mois à-ne-pas-faire-la-vaisselle, une gracieuseté de Mathieu, qu'il me donne en m'écrasant simultanément un morceau de gâteau au chocolat dans la figure. Parce qu'un frère reste toujours un frère. Gossant au carré, même lors d'un anniversaire.

Alors que tout le monde se régale et s'enduit involontairement la bouche de ketchup-relish-moutarde, Justin me prend à part pour me donner mon cadeau, qu'il n'ose pas me faire déballer devant tous. Ma curiosité est attisée. Je m'empresse de l'ouvrir loin des regards discrets et indiscrets. Un livre. Tout ce qu'il y a de plus rose. Intitulé *L'orgasme féminin en 160 pages*. Cent soixante pages pour traiter de ce seul et unique sujet. Rien de moins. Je rigole. Je l'ouvre pour le feuilleter, déjà fascinée par ce que ma prochaine lecture me réserve. Sur la première page, une dédicace écrite à la main par Justin : « Pour que ton exploration ne s'arrête jamais. » Il est fin, Justin.

Vraiment fin. Emballée par son cadeau, je l'embrasse sur la joue. Il vient chercher un deuxième bec, comme le veut la tradition, en tendant l'autre joue. Une confusion s'installe dans notre chassé-croisé. C'est lui qui me donne le second bec. Plus près de ma bouche que de ma joue. Ou plus exactement dans le pli entre la fin de mes lèvres et le début de ma fossette.

Mon cœur descend de cent étages dans mes tripes. Wô! Qu'est-ce qui se passe?

Je le regarde. Il me regarde. Je le regarde. Il me regarde. Plus longtemps que les trois secondes normales. Peut-être cinq secondes. Ou dix. Il me sourit. Je lui souris. On s'esclaffe de manière synchronisée.

Tout mon corps résonne et se ramollit.

Une seule et unique pensée surgit : mes seize ans s'annoncent prometteurs. Très prometteurs.

# POSTFACE
## ET
# REMERCIEMENTS

# Postface

Avec *Le sexy défi de Lou Lafleur*, Sarah Lalonde aborde avec justesse et sans détour le thème de la première relation sexuelle. De « la première fois », mais aussi « *des* premières fois », puisqu'il est bien question ici « des premières » : premiers questionnements, premiers comportements de séduction, premiers regards. Et des premiers « comment » : Comment faire ? Comment se faire remarquer ? Comment être ? Comment correspondre à la norme sociale qui dit qu'à quinze ans on devrait être actif sexuellement ?

Dans ce roman, l'auteure fait ressentir la pression des statistiques et des normes sociales, et elle démontre à quel point les jeunes peuvent parfois chercher à y correspondre. Puis tranquillement, le doute s'installe et leurs questionnements commencent : « Dois-je vraiment le faire ? » « Qu'est-ce que je veux ? » « Ai-je un mot à dire ? »

Avec une verve et un sens du récit hors du commun, ainsi qu'une excellente connaissance de la dynamique et du langage des adolescents, l'auteure arrive à placer un discours de discernement entre le lecteur et elle, mais aussi à lui suggérer la différence, l'autonomie, la responsabilité et le plaisir de se créer une vie qui lui ressemble vraiment !

La réalité adolescente est bien présente. L'auteure aborde le désir de « perdre sa virginité à tout prix » pour ne plus la « porter » devant « les autres », jusqu'à « comment séduire ? », les condoms et la place de la porno, en passant par les relations sexuelles orales, l'éveil aux sensations de son corps, la masturbation, l'orgasme à tout prix, la fameuse notion « qu'il est trop tard pour reculer », mais aussi la place de l'amour, des choix, de l'intimité, de l'autonomie affective et sexuelle, et de l'apport de certains spécialistes qui entourent les jeunes.

Qui dit adolescence dit aussi influence des amis. Heureusement, Lou Lafleur est bien entourée ! Mais les autres, nos lectrices et nos lecteurs ? Si oui, tant mieux ! Sinon, ils trouveront ici matière à se questionner et à confronter leurs valeurs et leur réalité. Que veux-tu, toi ? Comment peux-tu t'y prendre ?

Audacieux, ce livre est assurément un plus pour nos jeunes en manque de réponses et une porte d'entrée pour les initier à la sexualité de manière divertissante.

**Sophia Lessard**
Sexologue

# Remerciements

Merci à mon éditeur d'avoir osé.

Merci au beau, au grand, au splendide Jean-Sébastien pour tous les possibles, merci de me propulser tel un *jet pack*, pour l'amour, dans tout ce qu'il doit être.

Merci à Julia pour le regard enjoué sur mes textes, pour l'amitié infinie et vibrante.

Merci à Patrick Seymour pour le petit miracle visuel.

Merci à ma maman pour mon premier envol littéraire. Merci encore.

Merci à la Maison Bleue pour ses fées et ses lutins, pour le calme et l'inspiration, pour la vie dans tout ce qu'elle doit être.

Merci au livre *My little red book* d'avoir allumé l'étincelle de ce roman et d'avoir été la source d'inspiration certaine pour une scène de ce récit, que seuls les lecteurs curieux détecteront.

Merci à vous, lectrices et lecteurs, pour le nouveau souffle que vous donnez à ce livre.

Sarah Lalonde

**MARQUIS**

Québec, Canada